増補全面改訂

こなれた英文を書く技術

ワンランク上の
ライティングを可能にする
8つのワザ

Polishing Your Written Communication

黒川裕一
Yuichi Kurokawa

はじめに

「わたしあなたすきです」

　いかにもぎこちない文ですね。しかし、「間違い」というわけでもありません。「わたしはあなたがすきです」と「は」と「が」を加えてみて下さい。立派な日本語の出来上がりです。

「私は車がすきではありませんが、車はすきです」

　これはどうでしょうか？　「好きではない車がすき」では、何のことだかよく分かりませんね。しかしこれも、「私は車がすきではありませんが、この車はすきです」と「この」を補うだけで、言いたいことがきちんと伝わるようになります。

「話すのはやめなさい。あなたの口は食べ物でいっぱいです」

　こちらは「正しい日本語」だけれども、あまり流れがよくありません。ところがこれも、「口を食べ物でいっぱいにして話すのはやめなさい」と一文につなげるだけで、格段にすっきりします。

　言葉を補ったり文をつないだり、私たちの母国語である日本語ならばいずれも簡単にできることばかり。でも、英語ではどうですか？　「わたしあなたすきです」「私は車はすきではありませんが、車はすきです」のような単純なミスをしていない自信がありますか？　そこまでは大丈夫でも、「話すのはやめなさい。あなたの口は食べ物でいっぱいです」から先へ進めずにいるのではありませんか？

　そんなあなたのために、この本は「日本人の書く英語のどのあたりがぎこちないか」に焦点を当て、「よりこなれた英文を書けるようになるための８つのワザ・83のテクニック」を提案します。「ワザ」「テクニック」と言うとなんとも大袈裟に響きますが、そのほとんどが上の日本語の例のような実にちょっとした「コ

ツ」みたいなものです。「英語で書く技術」の究極は、「日本語で書くように英語で書く技術」。日本語で書くときに当たり前のように実践している「コツ」を思い出し、理解し、そして英語でも実践できるようにすればいいのです。

必ず手は届きます。

新版にあたり

　本書「こなれた英文を書く技術」の初版が発行されてから、10年が経ちました。「日本語英語」や「間違ってはいないけれども今一歩の英語」を「よりナチュラルで分かりやすい、こなれた英文」へとステップアップさせるための方法論に焦点を当てたこの本は、多数の読者に受け入れていただき、10回以上も増刷を重ね、そしてこのたび新版のご提案をいただきました。1999年に一冊目の本を世に送り出して以来二十冊近く書いてきましたが、このようなことは初めてであり、感謝の気持ちでいっぱいです。

　新版には以下を施し、旧版からの更なる前進を試みました。
　1. 8つのテクニックを新たに執筆し、追加。（計83のテクニックに）
　2. 2つのチャプターを全面改訂。
　3. 全編を通し、解説部分を洗練。英文も全て再精査。

　この10年間、塾長を務めるひなみ塾の英語クラスの講義を中心にコツコツと積み重ね、力を蓄えてきました。その成果を凝縮し、改訂に反映させるべく最善を尽くしました。この本を手に取ってくださって、ありがとうございます。

黒川裕一

CONTENTS

はじめに ……………………………………………………………… 3
総合解説 ……………………………………………………………… 9
本書の使い方 ………………………………………………………… 14

Chapter 1　一語で文を「締める」ワザ …………………… 15

- テクニック **1**　「限定」の only, just ………………………………… 16
- テクニック **2**　「その時点までに」の yet ………………………… 20
- テクニック **3**　「強調」の even …………………………………… 24
- テクニック **4**　「少しでも」「一つでも」「どれでも」の any ……… 28
- テクニック **5**　「例外なし」の every ……………………………… 32
- テクニック **6**　「全体」の all ……………………………………… 36
- テクニック **7**　読み手に「先入観」を持たせる副詞（句）……… 40

Chapter 2　ニュアンスをはっきりさせるワザ …………… 45

- テクニック **1**　定冠詞と指示形容詞（the や this, that など）…… 46
- テクニック **2**　時制①…進行形 …………………………………… 50
- テクニック **3**　時制②…完了形 …………………………………… 54
- テクニック **4**　動詞と副詞を組み合わせる ……………………… 58
- テクニック **5**　意志を表す will …………………………………… 62
- テクニック **6**　must と have to …………………………………… 66
- テクニック **7**　助動詞の完了形①…should have ………………… 70
- テクニック **8**　助動詞の完了形②…could have …………………… 74
- テクニック **9**　助動詞の完了形③…might have, may have ……… 78
- テクニック **10**　助動詞の完了形④…must have …………………… 82
- テクニック **11**　目的補語を活用する ……………………………… 86
- テクニック **12**　不定詞や分詞の主語を明確にする ……………… 90

5

| テクニック **13** | こちらの感情を前もって伝える | 94 |
| テクニック **14** | 引用符を活用する | 98 |

Chapter 3　文をすっきりさせるワザ ……… 103

テクニック **1**	無用な繰り返しを避ける	104
テクニック **2**	「同時」の with	108
テクニック **3**	分詞を活用する	112
テクニック **4**	分詞構文を活用する	116
テクニック **5**	It ①…時間の it	120
テクニック **6**	It ②…仮主語の it	124
テクニック **7**	It ③…仮補語の it	128
テクニック **8**	疑問詞＋不定詞	132
テクニック **9**	名詞と動詞・形容詞の互換	136
テクニック **10**	受動態と能動態	142

Chapter 4　メリハリをつけるワザ ……… 147

テクニック **1**	コンマ	148
テクニック **2**	コロン	152
テクニック **3**	セミコロン	158
テクニック **4**	挿入	164
テクニック **5**	導入	170
テクニック **6**	話題の転換と関連づけ	174
テクニック **7**	因果関係	178
テクニック **8**	展開	184
テクニック **9**	対照	190
テクニック **10**	結論	196

Chapter 5　ポイントを強調するワザ …… 201

- テクニック **1**　強調①…強調の副詞 …… 202
- テクニック **2**　強調②…構文 …… 206
- テクニック **3**　譲歩 …… 210
- テクニック **4**　反語 …… 214
- テクニック **5**　倒置 …… 218
- テクニック **6**　皮肉 …… 222
- テクニック **7**　事実 …… 226
- テクニック **8**　否定語① …… 230
- テクニック **9**　否定語②…より強力な否定語 …… 234
- テクニック **10**　主語を意図的に選択する …… 238

Chapter 6　表現を生き生きとさせるワザ …… 243

- テクニック **1**　形容詞（句）を加える …… 244
- テクニック **2**　実例を挙げる …… 248
- テクニック **3**　比喩 …… 252
- テクニック **4**　同格①…コンマを使って …… 256
- テクニック **5**　同格②…of や that などを使って …… 260
- テクニック **6**　比較① …… 264
- テクニック **7**　比較②…慣用表現 …… 268
- テクニック **8**　関係詞① …… 272
- テクニック **9**　関係詞②…前置詞との組み合わせなど …… 276
- テクニック **10**　関係詞③…先行する文全体を受ける "which" …… 282
- テクニック **11**　関係詞④…主語を自在に膨らませる …… 286
- テクニック **12**　「程度」の付与 …… 290
- テクニック **13**　「条件」の付与 …… 294
- テクニック **14**　「目的」の付与 …… 298
- テクニック **15**　「結果」の付与 …… 302

Chapter 7　断定を避けるワザ　……　307

- テクニック **1**　思う・考える　……　308
- テクニック **2**　「〜のようだ」　……　312
- テクニック **3**　可能性の副詞　……　316
- テクニック **4**　頻度・習慣の副詞　……　320
- テクニック **5**　程度の副詞　……　324
- テクニック **6**　判断の副詞　……　328
- テクニック **7**　限定　……　332
- テクニック **8**　部分否定　……　336
- テクニック **9**　「漠然」の some　……　340

Chapter 8　読み手に配慮するワザ　……　345

- テクニック **1**　you を含む主語にする　……　346
- テクニック **2**　it や there を主語にする　……　350
- テクニック **3**　第三者を主語にする　……　354
- テクニック **4**　時や条件の付与　……　358
- テクニック **5**　部分的合意　……　362
- テクニック **6**　仮定法　……　366
- テクニック **7**　could と would　……　372
- テクニック **8**　要求から依頼への言い換え　……　376

おわりに　……　382

総合解説

Chapter 1
一語で文を「締める」ワザ　たった一語でどう変わる？ ……………… 15

That was the worst traffic accident in Japan.
それは日本における最悪の交通事故だった。

→ That was the worst traffic accident **yet** in Japan.
それは日本におけるそれまでで最悪の交通事故だった。

　「それは日本における最悪の交通事故だった」に yet を一語加えてみましょう。「最悪」から「それまでで（史上）最悪」へ、わずか一語の違いですが、これだけで「最悪」の意味内容がぐっとはっきりします。たった一語で文に命を吹き込めるのですから、実にカンタン、おトク。「ワンランク上のこなれた英文」を目指すウォーミングアップに最適です。
　一語を加えるだけで、言いたいことや文全体の雰囲気をより鮮明に。この章では、そのためのワザを紹介します。

Chapter 2
ニュアンスをはっきりさせるワザ　無用な誤解はどう避ける？ ………… 45

Dan came home alive from Vietnam.
Dan はベトナムから生きて帰って来た。

→ **To my surprise**, Dan came home alive from Vietnam.
驚いたことに、Dan はベトナムから生きて帰って来た。

　「Dan はベトナムから生きて帰って来た」だけでは、単なる事実の記述。こちらがそれに対してどう感じているかを、読み手は知りたがっているはずです。そこで to my surprise を挿入。これだけで、Dan の生還に対してこちらが驚いていることが明らかになります。

更に言えば、このようなきめ細かい部分をおろそかにすることから生じるのが、無用な誤解。怖いのは、こちらが気付きもしないうちに、誤解がさらなる誤解を呼びかねないことです。ニュアンスをはっきりさせて、そのような誤解の連鎖を断ち切りましょう。

　「漠然とした表現」から「ニュアンスの分かる表現」へ。この章では、そのためのワザを紹介します。

Chapter 3
文をすっきりさせるワザ　くどい文はどう処理する？　　103

> Jack was walking. He had his hands in his pockets.
> Jackは歩いていた。彼は手をポケットに入れていた。
>
> ➡ Jack was walking **with his hands in his pockets**.
> 　Jackは手をポケットに入れて歩いていた。

　慣れない外国語で書く文は、どうしてもくどくなりがちです。例えば、「Jackは手をポケットに入れて歩いていた」。日本語ならば簡単にそう書けても、英語ではつい、"Jack was walking. He had his hands in his pockets.（Jackは歩いていた。彼は手をポケットに入れていた）"と短文二つにしてしまいがちなのです。ところが、これではいかにもまどろっこしく、稚拙な印象を与えがちなばかりか、読み手のリズムを狂わせ、スムーズな読みを妨げてしまいます。

　「くどくて読みにくい文」から「すっきりとした読みやすい文」へ。この章では、そのためのワザを紹介します。

Chapter 4
メリハリをつけるワザ　文のリズムはどうつくる？　　147

> There was potato salad and vegetable soup and grilled chicken.
> ポテトサラダと野菜スープと鶏のあぶり焼きがあった。
>
> ➡ There was potato salad, vegetable soup and grilled chicken.
> 　ポテトサラダ、野菜スープ、そして鶏のあぶり焼きがあった。

物事を列挙したり、突っ込んだ話をしたりする場合には、一文が長めになってしまうことがよくあります。その際には、しっかりとメリハリをつけてリズムをととのえ、読み手が無理なく読めるようにすることが肝心です。

　「ポテトサラダと野菜スープと鶏のあぶり焼きがあった」は、決して理解不能な文ではありません。しかし、これに読点を挿入して「ポテトサラダ、野菜スープ、そして鶏のあぶり焼きがあった」とすれば、よりきびきびとした読みやすい文に生まれ変わります。

　「注意深く読めば分からないことはない文」から「リズムが良くて読みやすい文」へ。この章ではそのためのワザを紹介します。

Chapter 5
ポイントを強調するワザ　重点はどう鮮明にする？ 201

> I don't want to go with Jimmy.
> Jimmyと一緒に行きたくない。
>
> ➡ **Who wants** to go with Jimmy?
> 　誰がJimmyと一緒に行きたがる？

　文を書くことは、言いたいことを相手に伝えること。ポイントが読み手にはっきりと伝わるように強調することもときには必要です。

　「Jimmyと一緒に行きたくない」と「誰がJimmyと一緒に行きたがる？」を比べてみましょう。言わんとすることは、基本的に同じですね？　要は「Jimmyと行きたくない」わけです。文法的にも、どちらも間違いありません。しかし、反語表現である分だけ、後者の方がより強い拒絶感を表しています。

　「文法的には正しい文」から「ポイントが鮮明な文」へ。この章ではそのためのワザを紹介します。

Chapter 6
表現を生き生きとさせるワザ　あじけない文からどう脱皮する？ ……… 243

Smoking is regarded as a bad habit.
喫煙は悪習とみなされている。

➡ Smoking is regarded as a bad habit, **not suitable for minors**.
喫煙は未成年者にふさわしくない悪習であるとみなされている

　言葉に慣れないうちは、誰もが骨組みだけの文で精一杯。「喫煙は悪習とみなされている」を例に取れば、「喫煙＝悪習」という「骨」は見えても、「肉」がありません。「どのような意味でそれが悪習なのか」を、もう少し具体的に知りたいところです。そこで登場するのが not suitable for minors という形容詞句。これを付け加えるだけで、「悪習」の意味するところが格段にはっきりします。
　「骨組みだけのあじけない文」から「しっかり肉が付いて生き生きとした文」へ。この章では、そのためのワザを紹介します。

Chapter 7
断定を避けるワザ　ソフトさはどう醸し出す？ ……… 307

Matt forgot to come to my birthday party.
Matt は私の誕生パーティに来るのを忘れた。

➡ **Maybe** Matt forgot to come to my birthday party.
多分、Matt は私の誕生パーティに来るのを忘れた。

　「言うべきことはきちんと言う」のはよいとしても、断定が過ぎると角が立つものです。例えば、「Matt が私の誕生パーティに来るのを忘れた」という状況。たとえそれが事実でも、そう言い切らない方がいい場合は多々あります。そんなときに重宝するのが、例の maybe のような、語調を和らげる表現です。
　また、軽々しい断定は傲慢さや無知の表れとみなされがち。柔らかく慎重な表現は、そういう悪印象を避ける上でも効果的です。
　「きつい表現」から「ソフトな表現」へ。この章では、そのためのワザを紹介します。

Chapter 8
読み手に配慮するワザ　言いにくいことはどう伝える？ ……………… 345

Your test scores are bad.
あなたのテストの点数は悪いです。

➡ Your test scores **could be better**.
あなたのテストの点数は良くなりえます。

　言いにくいことを言う場合や、意見の対立が予想される場合などには、読み手に一定の配慮をして書く必要が生じます。「あなたのテストの点数は悪い」とあからさまに言われれば、誰しも気分が良くないもの。意味するところは同じでも、「あなたのテストの点数は良くなりえます（もっと良くなる余地があります）」と言い換えれば、読み手はぐっと勇気づけられるに違いありません。こういう微妙な状況でこそ、書き手の真の実力が問われます。

　「言いたいことをはっきり伝える」から「読み手のことも考えて書く」へ。この章では、そのためのワザを紹介します。

本書の使い方

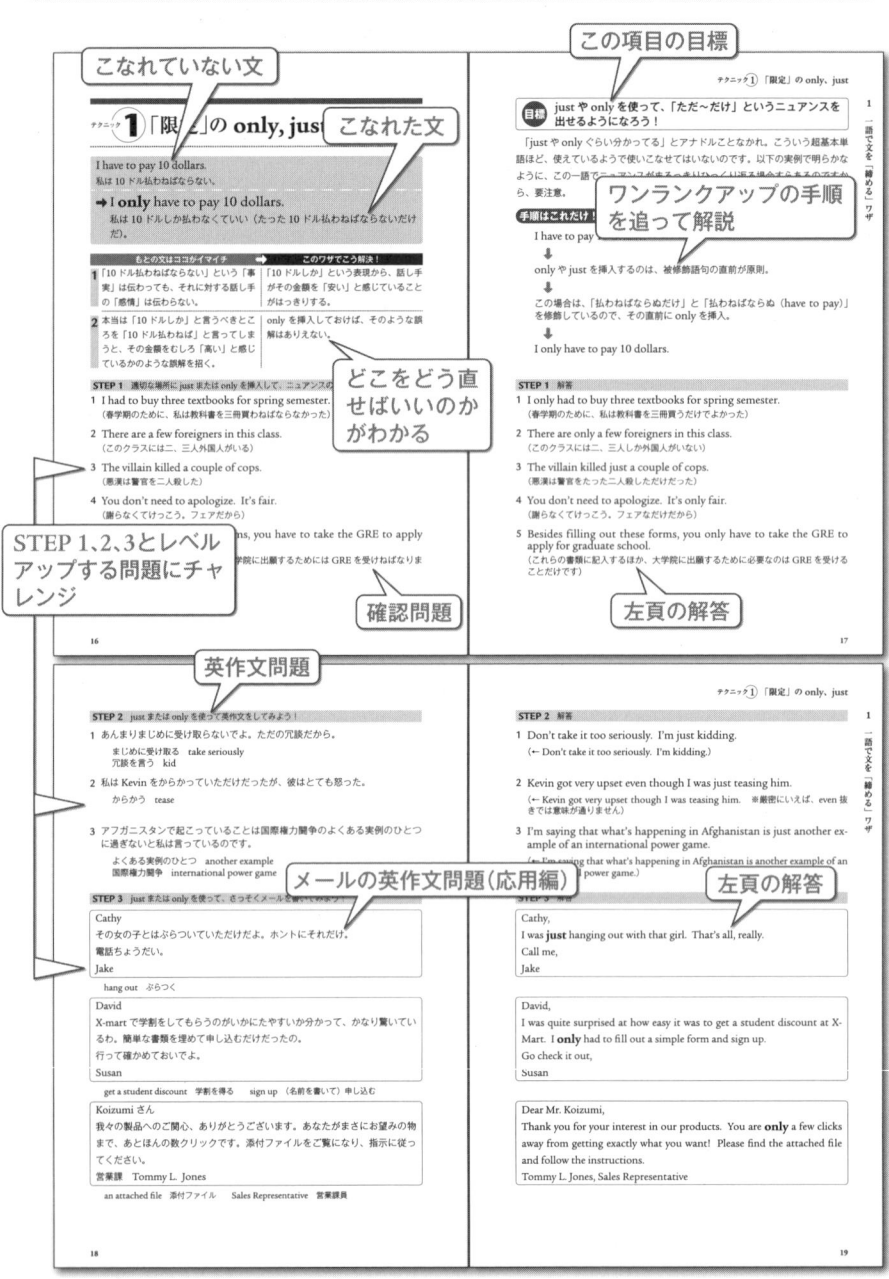

Chapter 1
一語で文を「締める」ワザ

テクニック 1 「限定」の only, just

I have to pay 10 dollars.
私は 10 ドル払わねばならない。

→ I **only** have to pay 10 dollars.
私は 10 ドルしか払わなくていい（たった 10 ドル払わねばならないだけだ）。

	もとの文はココがイマイチ	→	このワザでこう解決！
1	「10 ドル払わねばならない」という「事実」は伝わっても、それに対する話し手の「感情」は伝わらない。		「10 ドルしか」という表現から、話し手がその金額を「安い」と感じていることがはっきりする。
2	本当は「10 ドルしか」と言うべきところを「10 ドル払わねば」と言ってしまうと、その金額をむしろ「高い」と感じているかのような誤解を招く。		only を挿入しておけば、そのような誤解はありえない。

STEP 1 適切な場所に just または only を挿入して、ニュアンスの違いを確認しよう！

1. I had to buy three textbooks for spring semester.
（春学期のために、私は教科書を三冊買わねばならなかった）

2. There are a few foreigners in this class.
（このクラスには二、三人外国人がいる）

3. The villain killed a couple of cops.
（悪漢は警官を二人殺した）

4. You don't need to apologize. It's fair.
（謝らなくてけっこう。フェアだから）

5. Besides filling out these forms, you have to take the GRE to apply for graduate school.
（これらの書類に記入するほか、大学院に出願するためには GRE を受けねばなりません）

テクニック①　「限定」の only、just

 just や only を使って、「ただ〜だけ」というニュアンスを出せるようになろう！

「just や only ぐらい分かってる」とアナドルことなかれ。こういう超基本単語ほど、使えているようで使いこなせてはいないのです。以下の実例で明らかなように、この一語でニュアンスがまるっきりひっくり返る場合すらあるのですから、要注意。

手順はこれだけ！

I have to pay 10 dollars.

only や just を挿入するのは、被修飾語句の直前が原則。

この場合は、「払わねばならぬだけ」と「払わねばならぬ（have to pay）」を修飾しているので、その直前に only を挿入。

I only have to pay 10 dollars.

STEP 1　解答

1　I only had to buy three textbooks for spring semester.
（春学期のために、私は教科書を三冊買うだけでよかった）

2　There are only a few foreigners in this class.
（このクラスには二、三人しか外国人がいない）

3　The villain killed just a couple of cops.
（悪漢は警官をたった二人殺しただけだった）

4　You don't need to apologize. It's only fair.
（謝らなくてけっこう。フェアなだけだから）

5　Besides filling out these forms, you only have to take the GRE to apply for graduate school.
（これらの書類に記入するほか、大学院に出願するために必要なのは GRE を受けることだけです）

STEP 2　just または only を使って英作文をしてみよう！

1　あんまりまじめに受け取らないでよ。ただの冗談だから。
　　　まじめに受け取る　take seriously
　　　冗談を言う　kid

2　私は Kevin をからかっていただけだったが、彼はとても怒った。
　　　からかう　tease

3　アフガニスタンで起こっていることは国際権力闘争のよくある実例のひとつに過ぎないと私は言っているのです。
　　　よくある実例のひとつ　another example
　　　国際権力闘争　international power game

STEP 3　just または only を使って、さっそくメールを書いてみよう！

Cathy
その女の子とはぶらついていただけだよ。ホントにそれだけ。
電話ちょうだい。
Jake

---
　　　hang out　ぶらつく

David
X-mart で学割をしてもらうのがいかにたやすいか分かって、かなり驚いているわ。簡単な書類を埋めて申し込むだけだったの。
行って確かめておいでよ。
Susan

---
　　　get a student discount　学割を得る　　sign up　（名前を書いて）申し込む

Koizumi さん
我々の製品へのご関心、ありがとうございます。あなたがまさにお望みの物まで、あとほんの数クリックです。添付ファイルをご覧になり、指示に従ってください。
営業課　Tommy L. Jones

---
　　　an attached file　添付ファイル　　Sales Representative　営業課員

テクニック① 「限定」の only、just

STEP 2 解答

1 Don't take it too seriously. I'm just kidding.
　(← Don't take it too seriously. I'm kidding.)

2 Kevin got very upset even though I was just teasing him.
　(← Kevin got very upset though I was teasing him.　※厳密にいえば、even 抜きでは意味が通りません)

3 I'm saying that what's happening in Afghanistan is just another example of an international power game.
　(← I'm saying that what's happening in Afghanistan is another example of an international power game.)

STEP 3 解答

Cathy,
I was **just** hanging out with that girl. That's all, really.
Call me,
Jake

David,
I was quite surprised at how easy it was to get a student discount at X-Mart. I **only** had to fill out a simple form and sign up.
Go check it out,
Susan

Dear Mr. Koizumi,
Thank you for your interest in our products. You are **only** a few clicks away from getting exactly what you want! Please find the attached file and follow the instructions.
Tommy L. Jones, Sales Representative

テクニック2 「その時点までに」の yet

That was the worst traffic accident in Japan.
それは日本における最悪の交通事故だった。

→ That was the worst traffic accident **yet** in Japan.
それは日本におけるそれまでで最悪の交通事故だった。

もとの文はココがイマイチ	→	このワザでこう解決！
1 「最悪」という表現に具体性が足りないので、漠然とした印象を与えてしまう。		yet を補うことによって、「それまでで最悪」と時間が限定され、「最悪」の意味内容がはっきりする。
2 STEP 1 の 1 や 2 でも、yet なしでは「終わった」「現れていない」などと事態を漠然と表している印象を与える。		yet の挿入によって、「もう終わった」「まだ現れていない」と、より明快で誤解の余地の少ない表現になる。

STEP 1 適切な場所に yet を挿入して、ニュアンスの違いを確認しよう！

1 Have you finished your homework?
　（宿題はすんでる？ →「もうすんでる？」に）

2 Jill hasn't shown up.
　（Jill は現れていない →「まだ現れていない」に）

3 We don't know who will come to the party.
　（私たちは誰がパーティに来るか知らない →「依然として知らない」に）

4 Titanic is James Cameron's best film.
　（Titanic は James Cameron の最高の映画だ →「これまでで最高」に）

5 I witnessed the worst terrorist attack when I happened to visit New York.
　（私はニューヨークをたまたま訪れたとき、最悪のテロ攻撃を目撃した →「史上最悪」に）

テクニック② 「その時点までに」の yet

 yet を使って「もう」「まだ」「それまでで」というニュアンスを出せるようになろう！

　一見、「もう」「まだ」「それまでで」と三つも意味があって、ずいぶん複雑な単語に思える yet。でも、根っこが「その時点までに」という感覚であることをしっかりつかんでおけば、怖いことはありません。上の三つも、「現時点ではもう」「現時点ではまだ」「現時点までで」と言い換えれば、基本はみな同じです。関連づけておさえてしまいたいのが、still。日本語に訳すとこちらも「まだ」となりますが、より厳密には「前と変わらず今もまだ」、すなわち「依然として」という意味です。例えば、"He is still not here."は「彼は依然として来ていない」ということ。つまり、「現時点では」の yet は変化が前提、「前と変わらず」の still は不変化が前提というところが根本的に異なるのです。また、類似表現として「史上最高（最低）」という意味の ever もあわせておさえておきましょう。

手順はこれだけ！

That was the worst traffic accident in Japan.

基本的に、文末もしくは節の末尾に yet を挿入する。
ただし、例文のように名詞句にかかる場合はその句の直後に来る。

That was the worst traffic accident yet in Japan.

STEP 1　解答

1　Have you finished your homework yet?
　（宿題はもうすんでる？）

2　Jill hasn't shown up yet.
　（Jill はまだ現れていない）

3　We still don't know who will come to the party.
　（私たちは誰がパーティに来るか依然として知らない）

4　"Titanic" is James Cameron's best film yet.
　（Titanic は James Cameron のこれまで最高の映画だ）

5　I witnessed the worst terrorist attack ever when I happened to visit New York.
　（私はニューヨークをたまたま訪れたとき、史上最悪のテロ攻撃を目撃した）

STEP 2 yet を使って英作文をしてみよう！

1　持ち帰りの試験は、Russel 先生にもう出した？
　　（試験場で受けずに自宅に持ち帰って解く）持ち帰りの試験　a take-home exam

2　Donnie Brasco の Lefty は、Al Pacino のそれまでで最高の演技だった。
　　演技　performance

3　路上の公衆電話から妻に電話をかけたとき、私はまだ成田国際空港に着いていなかった
　　成田国際空港　Narita International Airport
　　公衆電話　a public phone

STEP 3 yet を使って、さっそくメールを書いてみよう！

Greg
今夜のジャムセッションはこれまでで最高のパフォーマンスだったわ。とってもかっこよかった！
Virginia

Lucy
今週末まで、ボクらの勉強会を延ばせる？　まだ資料を読み始めてすらいないんだ。スケジュールがきつすぎて。ごめん。
Mike

---

　　put off　延ばす　study group　勉強会　material　資料　way too tight　きつすぎる

Graham さん
小包がまだ届いておらず大変申し訳ありません。しかしながら、それが既にそちらに向かっており明日の午後までにはそちらに配達されると確認されております。辛抱強く待ってくださってありがとうございます。
Dean Keaton

　　on the way　（既に）目的地に向かっている
　　no later than tomorrow afternoon　明日の午後までに（必ず）
　　patience　忍耐強さ、辛抱強さ

STEP 2 解答

1 Have you turned in the take-home exam to Dr. Russel yet?
   (← Have you turned in the take-home exam to Dr. Russel?)

2 Lefty in "Donnie Brasco" was definitely Al Pacino's finest performance ever.
   (← Lefty in "Donnie Brasco" was definitely Al Pacino's finest performance.)

3 I hadn't arrived at Narita International Airport yet when I called my wife from a public phone on the street.
   (I hadn't arrived at Narita International Airport when I called my wife from a public phone on the street.)

STEP 3 解答

Greg,
Tonight's jam session was your best performance **yet**. You looked so cool!
Virginia

Lucy,
Can we put off our study group meeting until this weekend? I haven't even started reading the material **yet**. My schedule has been way too tight. Sorry.
Mike

Dear Mr. Graham,
We are terribly sorry that the package hasn't reached you **yet**. However, it has been confirmed that it is on the way and will be delivered to you no later than tomorrow afternoon. Thank you very much for your patience.
Dean Keaton

テクニック 3 「強調」の even

Tony didn't understand what the teacher was saying.
Tony は先生が言っていることが分からなかった。

→ Even Tony didn't understand what the teacher was saying.
Tony でさえ先生が言っていることが分からなかった。

	もとの文はココがイマイチ	→	このワザでこう解決！
1	「Tony は先生が言っていることが分からなかった」だけでは、Tony のクラスにおける位置付けが分からない。		「Tony でさえ分からなかった」ならば、Tony がクラスで最も優秀な生徒であることが伝わってくる。
2	「Tony は先生が言っていることが分からなかった」だけでは、先生の言っていることがどれくらい難しかったのか、よく分からない。		「Tony でさえ分からなかった」なら、優秀な Tony ですら分からないのだからかなり難しいことを先生が言ったに違いないということが伝わる。

STEP 1 適切な場所に even を挿入して、ニュアンスの違いを確かめよう！

1 Jesse was upset about Lucy.
（Jesse は Lucy のことで怒っていた）

2 George will have to study hard for the math exam.
（George はその数学の試験のために一所懸命勉強をせざるを得ないだろう）

3 Shirokuma Bank went bankrupt.
（しろくま銀行は倒産した）

4 Victor said, "Go to hell."
（Victor は「くたばれ」と言った）

5 The murderer stabbed the victim in the back long after she had died.
（その殺人者は犠牲者が死んでかなり経ってから、彼女の背中を刺した）

テクニック ③ 「強調」の even

even を使って「〜さえ」と強調できるようになろう！

evenは日本語の「さえ」と同じような働きがあるとつかんでおけば、とりあえずは大丈夫。「さえ」が「首相さえ」「日本さえ」「食べさえした」などと、さまざまに強調の役割を担うように、evenも縦横無尽に活躍します。しっかり使いこなしてください。

手順はこれだけ！

Tony didn't understand what the teacher was saying.

被修飾語句の直前に even を挿入する。

Even Tony didn't understand what the teacher was saying.

STEP 1 解答

1 Even Jesse was upset about Lucy.
 (Jesse さえも Lucy のことで怒っていた)

2 Even George will have to study hard for the math exam.
 (George さえも、その数学の試験のために一所懸命勉強をせざるを得ないだろう)

3 Even Shirokuma Bank went bankrupt.
 (しろくま銀行さえも倒産した)

4 Victor even said, "Go to hell."
 (Victor は「くたばれ」と言いさえした)

5 The murderer even stabbed the victim in the back long after she had died.
 (その殺人者は、犠牲者が死んでかなり経ってから、彼女の背中を刺しさえした)

STEP 2　even を使って英作文をしてみよう！

1　日本国憲法第 9 条でさえ、不可触ではない

　　日本国憲法第 9 条　Article 9 of the Japanese Constitution
　　不可触の　untouchable

2　相手チームさえ、イチローの好プレーに喝采を送った。

　　相手チーム　the opposing team
　　喝采を送る　applaud

3　私の古アパートですら、このホテルの部屋よりは少しばかりましに家具が備わっていた。

　　家具が備わっている　be furnished

STEP 3　even を使って、さっそくメールを書いてみよう！

> Josh はほんとにうざったいわ。毎晩欠かさず真夜中をとっくに過ぎてから電話してきさえするのよ。どうしたらいい？
> 電話して。
> Linda

　　obnoxious　うざったい　　well past midnight　真夜中をとっくに過ぎて
　　every single evening　毎晩欠かさず（every evening の強調形）

> 歴史のクラスでの Jimmy の主張は、基本的に、アメリカはただその戦争を可能な限り速やかに終わらせようと原子爆弾を落としたと言うことさ。オレですら反駁できるよ、そう思わない？
> Jiro

　　argument　主張、議論　　an atomic bomb　原子爆弾　　refute　反駁する

> 経営陣は、我が社を根本的に再構築せねばならぬ旨発表することを本当に残念に思っています。それには、1000 人を超える労働者の三カ月以内の解雇が含まれすらするでしょう。
> 副社長　Craig Baker

　　radically restructure　根本的に再構築する　　layoffs　解雇

テクニック ③ 「強調」の even

STEP 2 解答

1. Even Article 9 of the Japanese Constitution is not untouchable.
   (← Article 9 of the Japanese Constitution is not untouchable.)

2. Even the opposing team applauded Ichiro's fine play.
   (← The opposing team applauded Ichiro's fine play.)

3. Even my old apartment was furnished a little better than this hotel room.
   (← My old apartment was furnished a little better than this hotel room.)

STEP 3 解答

Josh is so obnoxious. He **even** calls me well past midnight every single night. What should I do?
Call me,
Linda

Jimmy's argument in history class was, basically, that America dropped atomic bombs only to end the war as soon as possible. **Even** I can refute that, don't you think?
Jiro

The management is very sorry to announce that we will have to radically restructure our company. It will **even** include layoffs of over one thousand workers within three months.
Craig Baker, Vice President

1 一語で文を「締める」ワザ

テクニック 4 「少しでも」「一つでも」「どれでも」の any

If you have a question, please do not hesitate to ask.
質問があれば、ためらわずに聞いてください。

→ If you have any questions, please do not hesitate to ask.
どんな質問でも、あればためらわずに聞いてください。

| もとの文はココがイマイチ | このワザでこう解決！ |

1 「質問があれば、ためらわずに聞いてください」から伝わるのは、「質問がある→聞く」という単純な図式だけ。 | any を加えることによって「どんな質問でも」という積極性や親切心が伝わる。

2 STEP 1 の 3 を例に取れば、any を挿入して "can draw any guy's attention" とすることによって、「どんな男の注意もとてもたやすくひくことができる」と効果的に強調することができる。

STEP 1 適切な場所に any を挿入して、ニュアンスの違いを確かめよう！

1 Playing video games is more fun than other hobbies.
（テレビゲームをするのは他の趣味より楽しい）

2 This laptop can do many things that you want it to do.
（このノート型パソコンはあなたがさせたいことをたくさんできます）

3 Melissa can attract a guy's attention so easily.
（Melissa は男の注意をいともたやすくひくことができる）

4 Jane is intelligent enough to enter the college she wants.
（Jane は自分の行きたい大学に入学できるほど賢い）

テクニック④ 「少しでも」「一つでも」「どれでも」の any

 any を使って「～でも」と強調できるようになろう！

　一口に「～でも」と言っても、「少しでも」「一つでも」「どれでも」などといろいろな広がりがあるのが any。でも、「any ≒任意のひとつ」と根本を押さえておけば、ちゃんと整理できます。(1) 平叙文の any は「誰でも（いい）」「どれでも（いい）」と「任意の一つを選ぶ」感じ。(2) 条件節の any は「少しでも（あれば）」「一つでも（あれば）」と「最小限の数量を想定する」感じ。否定文において "not ～ any" で「ひとつも～ない」という意味になるのも、「任意の一つが全て×」と考えれば納得です。

手順はこれだけ！

If you have a question, please do not hesitate to ask.

強調したい名詞についている冠詞を取り、代わりに any を挿入する。

If you have any question, please do not hesitate to ask.

条件節の中では、名詞を複数形に、平叙文の中では単数形にするのが原則（thing とくっついて anything となったり、one (person) とくっついて anyone となるなど、一語になることもある）。

If you have any questions, please do not hesitate to ask.

STEP 1　解答

1　Playing video games is more fun than any other hobby.
　（テレビゲームをするのは他のどの趣味より楽しい）

2　This laptop can do anything that you want it to do.
　（このノート型パソコンはあなたがさせたいことを何でもできます）

3　Melissa can attract any guy's attention so easily.
　（Melissa はどんな男の注意をいともたやすくひくことができる）

4　Jane is intelligent enough to enter any college she wants.
　（Jane は自分の行きたいどの大学にも入学できるほど賢い）

5 Ask Mr. Ford in the customer service department about clarifying the issue.
(その問題についてはっきりさせるには、顧客サービス課のFordさんにお聞きください)

STEP 2　any を使って英作文をしてみよう！

1 クラブのメンバーは誰でもこのゲストハウスを使うことができます。
　　ゲストハウス　a guesthouse

2 簡単な単語を調べる必要があるだけです。どんな辞書でも間に合います。
　　調べる　look up　　間に合う　do

3 ガソリンがいくらかでも残っているのなら、ガソリンスタンドに着く前に切れてしまわないように注意して使わねばなりません。
　　着く　get to　　切れる（尽きる）run out

STEP 3　any を使って、さっそくメールを書いてみよう！

こないだの夜、車を貸したのは、何でもないよ。他に何だって必要なものがあったら、言いなよね。
後で。
Phil

　　the other night　この間の夜、先夜

あのさ、たった今 "Movie Freaks Online" っていう面白いウェブサイトを見つけたんだ。そこのオンラインショッピングページから、好きな映画ソフトは何でも買えるんだぜ。
見てみな。
Ken

　　online shopping page　オンラインショッピングページ

我が社は新しいマーケティング戦略を、とりわけ東アジア地区において模索しています。アイデアがあればいかなるものでも私のところまでメールで送ってください。
マーケティング部長　Chris Simmons

　　marketing strategy　マーケティング戦略
　　particularly　とりわけ　East Asian areas　東アジア地区

テクニック 4 「少しでも」「一つでも」「どれでも」の any

5 Ask anybody in the customer service department about clarifying the issue.
（その問題についてはっきりさせるには、顧客サービス課の者なら誰にでもお聞きください）

STEP 2 解答

1 Any member of the club can use this guesthouse.

2 I just need to look up a simple word. Any dictionary will do.

3 If there is any gas left, we should use it carefully so that it won't run out before we get to a gas station.

STEP 3 解答

No problem with letting you borrow my car the other night. If there's **anything** else you need from me, just ask.
Later,
Phil

Hey, I just found a cool website called "Movie Freaks Online." You can buy **any** movie that you like from its online shopping page!
Check it out,
Ken

Our company is now looking for a new marketing strategy, particularly in East Asian regions. If you have **any** ideas, please email them to me.
Chris Simmons, Senior Manager in Marketing

テクニック 5 「例外なし」の every

The door is closed.
そのドアは閉まっています。

→ Every door is closed.
どのドアも閉まっています。

もとの文はココがイマイチ	→	このワザでこう解決！
1 「そのドアは閉まっています」では、話題となっているドアのこと以外のことは不明のまま。		every を挿入することによって、目の前のドアだけではなく、どのドアも全て閉まっていることが明らかになり、そこから例えば「だから戸締りは万全です。ご安心ください」などという含蓄が伝わってくる。

STEP 1 適切な場所に every を挿入して、ニュアンスの違いを確かめよう！

1 Jasmine goes to church on Sunday.
　（Jasmine は日曜に教会に行く）

2 There are convenience stores at many corners in Japan.
　（日本では、多くの街角にコンビニがある）

3 I failed many exams this semester.
　（今学期はたくさん試験を落とした）

4 Rick said the situation was totally out of our hands.
　（Rick は、状況は完全に手におえないと言った）

5 Politicians must make efforts to regain the public's trust.
　（政治家たちは、民衆の信頼を取り戻すために努力せねばならない→ every possible を挿入）

テクニック ⑤ 「例外なし」の every

 every を使って「どの〜も」と強調できるようになろう！

　every と all は、ニュアンスが異なります。all が「全てひっくるめて」と「全体」を指すのに対して、every は「どの〜も」と対象を一つ一つ指して「例外がない」ことを意味します。関連して、each は「各々」「めいめい」「それぞれ」という感じです。例えば、"all the time" は「四六時中」、"every time" は「いつもことごとく」、"each time" は「そのたびごとに」となります。まとめてやっつけてしまいましょう！

手順はこれだけ！

The door is closed.

「どの〜も」と強調したい名詞についた冠詞を取り、代わりに every を挿入する。

名詞が複数形の場合は単数形にする（STEP 1 の 2 を参照。文全体の単複が変化することに注意！）。

Every door is closed.

STEP 1　解答

1　Jasmine goes to church every Sunday.
　（Jasmine は毎週日曜、教会に行く）

2　There is a convenience store at every corner in Japan.
　（日本では、どの街角にもコンビニがある）

3　I failed every exam this semester.
　（今学期はどの試験も落とした）

4　Everyone said the situation was totally out of our hands.
　（誰もが状況は完全に手におえないと言った）

5　Politicians must make every possible effort to regain the public's trust.
　（政治家たちは、民衆の信頼を取り戻すために、なし得る努力は全てせねばならない）

STEP 2　every を使って英作文をしてみよう！

1　誰もが長所を持っている。
　　　長所、強み　　strong points

2　私は学校の図書館にある本を全て読んでしまった。
　　　学校の図書館　　the school library

3　どの申込者も、三通の推薦状を申請書類一式に同封せねばならない。
　　　申込者　applicant　　同封する　enclose
　　　推薦状　a letter of recommendation
　　　申請書類一式　an application package

STEP 3　every を使ってさっそくメールを書いてみよう！

今や私は 87 歳、私の慎ましい一生について言えるのは、人生のどの一瞬も私が慈しんでいるということだけです。私の言わんとすることが分かりますか？
Paul

　　cherish　慈しむ

Bobby は人を利用する奴さ。利用できると思ったら、周りの奴を誰でも使いやがる。誰だって知ってるぜ。奴の映画プロジェクトをお前がわざわざ手伝ったなんて、信じられないよ。どうせ何の見込みもありゃしないしさ、あの映画。また頼んできたら、No って言うんだぞ。
Scott

　　user　人を利用する（利己的でずるがしこい）者
　　go out of one's way to ~　　わざわざ（親切にも）骨を折って~してやる
　　won't go anywhere　どこにも行かない、見込みがない

貴殿の新しいコンピュータに見つかった欠陥につきましては、誠に申し訳なく思っております。現在我々はどの部品も全てテストし、徹底的な検査を行っております。終わり次第、再度ご連絡申し上げます。
顧客サービス課　Rachel Watkins

　　defects　欠陥　　a thorough check-up　徹底的な検査

テクニック 5 「例外なし」の every

STEP 2 解答

1 Everyone has their strong points.
   (← I have my strong points.)

2 I have read every book that is in the school library.
   (← I have read many of the books in the school library.)

3 Every applicant must enclose three letters of recommendation in their application package.
   (← Applicants must enclose three letters of recommendation in their application package.)

STEP 3 解答

Now that I'm 87, all I can say about my humble life is that I have cherished **every** moment of it. Do you know what I mean?
Paul

Bobby is a user. He uses **everybody** around him when he thinks he can get away with it. **Everyone** knows it. I can't believe you went out of your way to help him with his film project. It won't go anywhere, anyway! Say no if he asks again, OK?
Scott

We are terribly sorry about the defects found in your new computer. We are now in the process of giving it a thorough check-up, examining **every** single part. We will contact you again as soon as the process is complete. Thank you very much,
Rachel Watkins, Customer Service

テクニック 6 「全体」の all

Kenny owns these stores.
Kennyはこれらの店を所有している。

→ Kenny owns **all** these stores.
　Kennyはこれらの店全てを所有している。

もとの文はココがイマイチ	→	このワザでこう解決！
1 「Kennyという人物がこれらの店のオーナーである」という事実を単純に述べるにとどまっている。		allを挿入することによって「これらの店全ての」とアクセントがつき、「全部Kennyのもの」であることに対する驚嘆や羨望の念などが言外に伝わってくる。

STEP 1 適切な場所にallを挿入して、ニュアンスの違いを確かめよう！

1 Charlie is nice to his friends.
　（Charlieは彼の友人に対して親切だ）

2 The forty students in our class passed the university entrance examination.
　（私たちのクラスの40名の生徒は大学入試に合格した）

3 We will come to your birthday party.
　（私たちはあなたの誕生パーティに行きます）

4 I stopped believing in certain aspects of Christianity years ago.
　（何年も前に、私はキリスト教のある側面については信じるのをやめた）

5 People are supposed to be equal in today's society, aren't they?
　（人は今日の社会では平等ということになっていますよね？）

テクニック 5 「全体」の all

目標 all を使って「全ての~」と言えるようになろう！

すぐ前の every のところで既に説明した、all と every の違いをおさえましょう。そうすれば、各々の語感がしっかりと身につきます。書くにせよ話すにせよ、最終的に頼りになるのは、しっかりと感覚を確かにつかんでいる言葉だけ。「似て非なる語彙」を並べてみることは、そのためにとても有効なのです。

手順はこれだけ！

Kenny owns these stores.

⬇

「全て」と強調したい名詞の前に all を挿入する。

⬇

数えられる名詞は複数形にする。
「~の（うち）全て」というニュアンスの場合は all of とする（STEP 1 の 1、2、3 など参照）。

⬇

Kenny owns all these stores.

STEP 1　解答

1　Charlie is nice to all of his friends.
　（Charlie は彼の友人みんなに対して親切だ）

2　All of the forty students in our class passed the university entrance examination.
　（私たちのクラスの 40 名の生徒全員が大学入試に合格した）

3　All of us will come to your birthday party.
　（私たちはみんな、あなたの誕生パーティに行きます）

4　I stopped believing in all aspects of Christianity years ago.
　（何年も前に、私はキリスト教の全ての側面について、信じるのをやめた）

5　All people are supposed to be equal in today's society, aren't they?
　（全ての人は今日の社会では平等ということになっていますよね？）

STEP 2　all を使って英作文をしてみよう！

1　地球上の全ての天然資源が尽きたとき、我々はどうすべきだろうか？
　　　地球上の天然資源　the earth's natural resources　　尽きる　run out

2　あなたが考え出したその新しいモデルはとても見込みがあると、我々は皆、意見が一致しています。
　　　考え出す　come up (with ～)　　見込みがある　promising

3　今日の経済停滞は我々の日常生活の全ての側面に影響する。
　　　経済停滞　economic stagnation
　　　影響する　influence　　日常生活　daily life

STEP 3　all を使って、さっそくメールを書いてみよう！

Mick
ボクは San Francisco に去年ずっといて、とても素晴らしいときを過ごしたよ。今年もあとでまた行こうと計画しているんだけど、一緒に来る？
Alex

---
　　　all last year　去年（一年）ずっと

James
ほんとに、オレが持ってた金はあれで全部なんだ。家賃、あと一、二週間待ってくれないか？　可能な限り早く返すって約束するから。
ありがと。
Al

---
　　　for another week or two　一、二週間　　ASAP　as soon as possible

今私たちにできるのが忍耐強く一所懸命に働くことだけだと言うのは、実に悔しいことです。いわゆる IT 不況は世界中に広がっています。しかしながら、経済がほどなく立ち直り、私たちがしのぎ切れることを私は確信しております。

社長　Donald Vest

---
　　　the so-called IT recession　いわゆる IT 不況
　　　be everywhere in the world　世界中に広がっている、見られる
　　　bounce back　立ち直る　　pull through　しのぎきる、持ちこたえる
　　　have full confidence　全く確信している

テクニック 5 「全体」の all

STEP 2 解答

1 What should we do when **all** the earth's natural resources run out?
   (← What should we do when the earth's natural resources run out?)

2 We **all** agree that the new model you came up with is extremely promising.
   (← We agree that the new model you came up with is extremely promising.)

3 Today's economic stagnation influences **all** aspects of our daily lives.
   (← Today's economic stagnation influences many aspects of our daily lives.)

STEP 3 解答

Mick,
I stayed in San Francisco **all** last year, and had a great time! I'm planning to go back later this year. Do you want to go with me?
Alex

James,
That really was **all** the money that I had. Will you wait for another week or two for the rent? I promise I will pay you ASAP.
Thanks,
Al

It is rather frustrating to say that **all** we can do now is be patient and work hard. The so-called IT recession is happening all over the world. However, I have full confidence that the economy will bounce back before long, and we can pull through.
Donald Vest, President

テクニック7　読み手に「先入観」を持たせる副詞(句)

Jay didn't pass the exam.
Jay は試験に合格しなかった。

→ **Unfortunately**, Jay didn't pass the exam.
　残念ながら、Jay は試験に合格しなかった。

もとの文はココがイマイチ	→	このワザでこう解決！
1	「Jay という人物が試験に合格しなかった」という事実を述べるにとどまっている。	unfortunately と切り出すことによって、悪い知らせであることを前もって読み手に予想させることができる。
2	Jay の不合格について書き手がどう感じているかは全く明らかにならない。	unfortunately から、書き手が残念に思っていることが伝わる。

STEP 1　適切な場所に副詞(句)を挿入して、ニュアンスの違いを確かめよう！

1　Jean didn't show up on time.
　　(Jean は時間通りに現れなかった→ predictably ［予期した通りに］を挿入)

2　The capitalist system is far from perfect.
　　(資本主義システムは完璧からはほど遠い→ admittedly ［一般に認められているように］を挿入)

3　There is a video rental store near my house that carries many independent films.
　　(インディー系の映画を多数揃えたビデオレンタル店が私の家の近くにある→ luckily ［ありがたいことに］を挿入)

4　The suspect killed seventeen people and buried them deep in the forest.
　　(その容疑者は 17 人の人を殺し、森の奥深くに埋めた→ allegedly ［申し立てによると］を挿入)

5　Over two-thirds of Japanese teenage girls say they have suffered some form of sexual harassment.
　　(日本の十代女性の三分の二以上が、何らかの形のセクシャルハラスメントを被ったことがあるという→ reportedly ［伝えられるところによれば］を挿入)

テクニック⑦ 読み手に「先入観」を持たせる副詞（句）

1 一語で文を「締める」ワザ

> **目標** 副詞（句）を挿入して、読み手がこちらの言いたいことを予想できるようにしよう！

「残念ながら」と来れば、悪いニュースが後に続くことは誰にでも見当がつくもの。これだけで、ぐっと誤解の余地が減るのです。先入観を与えることによって相手に一定の方向づけをするというこのような「仕掛け」は、日本語ならば日常的にやっているはず。英語でも同じようにやってみましょう！

手順はこれだけ！

Jay didn't pass the exam.

⬇

伝えたいムードを決め、ふさわしい副詞を挿入する。
基本的には文頭に挿入するが、場合によってはコンマではさんで文中に挿入したり、文末に添えたりする。
副詞一語ではなく副詞句を挿入することもある（STEP 2の2、3を参照）。

⬇

Unfortunately, Jay didn't pass the exam.

STEP 1 解答

1 Predictably, Jean didn't show up on time.
（予期した通り、Jeanは時間通りに現れなかった）

2 Admittedly, the capitalist system is far from perfect.
（一般に認められているように、資本主義システムは完璧からはほど遠い）

3 Luckily, there is a video rental store near my house that carries many independent films.
（ありがたいことに、インディー系の映画を多数揃えたビデオレンタル店が私の家の近くにある）

4 Allegedly, the suspect killed seventeen people and buried them deep in the forest.
（申し立てによると、その容疑者は17人の人を殺し、森の奥深くに埋めたとされている）

5 Reportedly, over two-thirds of Japanese teenage girls say they have suffered some form of sexual harassment.
（伝えられるところによれば、日本の十代女性の三分の二以上が、何らかの形のセクシャルハラスメントを被ったことがあるという）

STEP 2 副詞（句）を使って英作文をしてみよう！

1 信じられないことに、その少年は四歳で大学に入学した。
　　　信じられないことに　incredibly　　四歳で　at the age of four

2 驚いたことに、Arnold は、7人の命を奪う結果になった自動車事故から生還した。
　　　驚いたことに　surprisingly (enough)　　結果になる　end up
　　　自動車事故　car crash　　生還する　come out alive

3 興味深いことに、長く続く経済停滞にもかかわらず、日本円はいまだに強い。
　　　興味深いことに　interestingly enough　　日本円　the Japanese Yen
　　　長く続く経済停滞　long-lasting economic stagnation

STEP 3 副詞（句）を使って、さっそくメールを書いてみよう！

"Superman Strikes Back" はすごくよかった！　疑いなく、今年これまでオレが見た中で最高の映画だね。お前は気に入った？
Andy

ねえ、ちょっとほんとに変なことを経験したんだけど。私たち13人は先週末にキャンプに行って、帰りに幽霊みたいなものを見たの。でも、奇妙なことに、その夜のことを他の誰も覚えていないのよ。一体なんなの？
電話して。
Cindy

幸い、我々のステーションが一つお宅の近くにありますので、可能な限り最も迅速なサービスをご提供できます。678-0000 の Kenneth Ford までご連絡をお願いします。
ありがとうございます。
Christy Smith

テクニック⑦　読み手に「先入観」を持たせる副詞(句)

STEP 2 解答

1 Incredibly, the boy entered college at the age of four.
   (← The boy entered college at the age of four.)

2 Surprisingly enough, Arnold came out alive from the car crash that ended up killing seven people.
   (← Arnold came out alive from the car crash that ended up killing seven people.)

3 Interestingly enough, the Japanese yen is still strong despite the long-lasting economic stagnation.
   (← The Japanese yen is still strong despite the long-lasting economic stagnation.)

STEP 3 解答

"Superman Strikes Back" was awesome! **Undoubtedly**, this is the best movie that I've seen so far this year. Did you like it?
Andy

awesome　すごくいい　　undoubtedly　疑いなく

Hey, I'm going through something really weird. Thirteen of us went camping last weekend, and we saw something like a ghost on the way back. But, **strangely enough**, nobody else remembers anything about that night. What's happening?
Call me,
Cindy

weird　変な　　on the way back　帰り道に　　strangely enough　奇妙なことに

Fortunately, we have a station near your house to provide you with the fastest possible service. Please contact Kenneth Ford at 678-0000.
Thank you very much,
Christy Smith

1　一語で文を「締める」ワザ

43

Chapter 2
ニュアンスをはっきりさせるワザ

テクニック 1　定冠詞と指示形容詞（the や this, that など）

Some say that Shakespeare is a great dramatist.
シェークスピアは偉大な劇作家だと言う者もある。

➡ Some say that Shakespeare is **the** greatest dramatist in human history.
シェークスピアは人類史上最も偉大な劇作家だと言う者もある。

もとの文はココがイマイチ	➡	このワザでこう解決！

1　「偉大な」ではどれほど偉大かあいまい。｜「人類史上最も偉大な」とより具体化している。最も偉大なものは特定できるので the を使う。

2　以下の実例でも、「特定できるもの」について定冠詞や指示形容詞を使って明確化を図っているが、さまざまなバリエーションがある。例えば、「そのテレビ番組」と特定の番組を指して that を使ったり、「日本人というもの」と「日本人全体」を指して the を使うなど。多くの実例に触れる必要アリ。

STEP 1　定冠詞や指示形容詞を使って書き換え、ニュアンスの違いを確認しよう！

1　I saw a TV show.
（私はテレビ番組を見た→「私は皆が話題にしているそのテレビ番組を見た」に）

2　We saw a guy in the bar last night.
（私たちはゆうべバーで一人の男を見かけた→「ゆうべバーで見かけたあの男、知ってる？」に）

3　Yesterday, I went to check out an art exhibition.
（昨日、私は美術展を見に行った→「昨日、私はあなたが話していた美術展を見に行った」に）

4　We are in a desperate situation.
（私たちは絶望的な状況にいます→「私たちは皆、この絶望的な状況から抜け出すためにとても懸命に働いています」に）

5　I know a Japanese person who is community-oriented.
（コミュニティ志向の強い日本人を一人知っています→「伝統的に、日本人というものはコミュニティ志向が強い」に）

テクニック① 定冠詞と指示形容詞（the や this, that など）

> **目標** 定冠詞や指示形容詞を使って、名詞のニュアンスをはっきりさせることができるようになろう！

「ニュアンスと the や this がどう関係あるの？」と疑問に思う方もあるかもしれませんが、実は大アリ。「私はカレーが好きです」と「私はこのカレーが好きです」を比べてみてください。前者は「カレー一般が好き」であるのに対して、後者は「他でもないこのカレーが好き」。ですから、極端に言えば、後者は「カレー一般は嫌いだがこのカレーは好き」かもしれないわけです。これぞまさに「この」の機能。そして、英語では this がそれを担っているのです。

手順はこれだけ！

Some say that Shakespeare is a great dramatist.

⬇

文意に沿って、定冠詞や指示形容詞をつけた方がよい名詞を見極める。

⬇

great を強調したいので、the を含む最上級表現を選択。

⬇

Some say that Shakespeare is the greatest dramatist in human history.

STEP 1　解答

1　I saw that TV show that everyone is talking about.
（私は皆が話題にしているそのテレビ番組を見た）

2　Do you know the guy who we saw in the bar last night?
（ゆうべバーで見かけたあの男、知ってる？）

3　Yesterday, I went to check out the art exhibition you told me about.
（昨日、私はあなたが話していた美術展を見に行った）

4　We are all working very hard to get out of this desperate situation.
（私たちは皆、この絶望的な状況から抜け出すためにとても懸命に働いています）

5　Traditionally, the Japanese are community-oriented.
（伝統的に、日本人というものはコミュニティ志向が強い）

STEP 2 定冠詞や指示形容詞を使って英作文をしてみよう！

1 今夜のレストランでの食事はとてもよかった。

  よかった　I enjoyed

2 お前があのフランス語の授業の終わりに言ったこと…、あれはほんとに傑作だった。

  （面白おかしくて）傑作の　hilarious

3 何もかもが、アメリカ経済が下り坂に転じたことを示している。

  下り坂　a downhill slide　　示す　indicate

STEP 3 定冠詞や指示形容詞を使って、さっそくメールを書いてみよう！

なあ、映画史のクラスでの「七人の侍」についてのお前のコメントにオレも賛成だよ。あれは史上最高に面白い侍映画だ！
Toby

---

 film history class　映画史のクラス
 entertaining　楽しめる、エンターテインメント性の高い

たった今、日本への旅から帰ってきたところ。あっちでは、誰もが携帯電話を持ってひっきりなしに路上で話してたわ。あの人たち、一体どうしたって言うの？
Violet

---

 a cellular phone　携帯電話　　incessantly　ひっきりなしに、絶え間なく

日本政府が対テロ国際協力に関する行動計画を発表したけど、一皮めくればその計画は日本の再軍備化を目指すものだと言う者もいるよね。キミの意見は？
Luke

---

 an action plan　行動計画
 international cooperation against terrorism　対テロ国際協力
 underneath the surface　表層の下では、一皮めくれば

テクニック 1　定冠詞と指示形容詞 (the や this, that など)

STEP 2　解答

1. I enjoyed the food at the restaurant tonight.
   (← I enjoy food in general.)

2. What you said at the end of that French class… that was so hilarious.
   (← What you said was so hilarious.)

3. Everything indicates that the American economy is going downhill.
   (The economy is unstable.)

STEP 3　解答

> Hey, I agree with **the** comment you made on "Seven Samurai" in film history class. It is **the** most entertaining samurai movie ever!
> Toby

> I just came back from a trip to Japan. Everyone owns a cellular phone over there and talks incessantly on the street. What's wrong with **those** people?
> Violet

> The Japanese government announced an action plan regarding international cooperation against terrorism. Some say that, underneath the surface, **the** plan aims at the re-militarization of the country. What is your opinion on this?
> Luke

テクニック 2 時制①…進行形

I read Death in Venice.
私は「ベニスに死す」を読む。

→ **I'm reading** Death in Venice right now.
　私は今、「ベニスに死す」を読んでいる。

	もとの文はココがイマイチ →	このワザでこう解決！
1	「読む」では「今まさに進行中の動作」ではなく「動作の一般的な描写・説明」にすぎない	「読んでいる」ならば、「今〜しているところ」であることは明らか。
2	特に、STEP 1 の 2 などは、「家を出た後に」と「家を出ようとしていたときに」のように、意味するところが全く変わってしまうので要注意。	

STEP 1 時制を進行形に変え、ニュアンスの違いを確認しよう！

1　I came home for Mom's birthday party.
　（私は母さんの誕生パーティのために帰って来た→「母さんの誕生パーティのために帰って来る？」に）

2　After I left home, Joy called me.
　（私が家を出たあと、Joy が電話をしてきた→「私が家を出ようとしているときに、Joy が電話をしてきた」に）

3　I joked around.
　（私は冗談を言ってふざけた→「気に障ったのならば謝りますが、私は冗談を言ってふざけていただけです」に）

4　I moved out of my old apartment.
　（私は古いアパートから引っ越した→「私は古いアパートから引っ越すところです」に）

5　Maybe I'm a little too sarcastic.
　（多分、私はちょっと皮肉屋すぎるかもしれない→「『日本は不沈艦だ』と言ったときの私は、多分、ちょっと皮肉が過ぎたかもしれない」に）

テクニック② 時制①…進行形

🎯 目標 進行形を使って「(まさに今)〜している」というニュアンスを出せるようになろう！

　日本語ならば誰もが分かっているはずの「する」と「している」の違いも、英語になるとなかなかアヤシイもの。しかも、進行形は「その瞬間にまさに起きている」という「進行」以外にも、「まだしゃべっている」というような「継続」や「いつも寝ている」のような「習慣」、更には「近未来」をも表すことができる、とても便利な時制です。要チェック！

手順はこれだけ！

I read Death in Venice.

⬇

進行形に変化させた方が適切である動詞を見極め、時制を変える

⬇

I'm reading Death in Venice.

⬇

必要ならば副詞を加えて状況をより鮮明にする

⬇

I'm reading Death in Venice right now.

STEP 1　解答

1　Are you coming home for Mom's birthday party?
（母さんの誕生パーティのために帰って来る？）

2　When I was leaving home, Joy called me.
（私が家を出ようとしているときに、Joy が電話をしてきた）

3　Sorry if I offended you, but I was just joking around.
（気に障ったのならば謝りますが、私は冗談を言ってふざけていただけです）

4　I'm moving out of my old apartment.
（私は古いアパートから引っ越すところです）

5　Maybe I was being a little too sarcastic when I said, "Japan is an unsinkable ship."
（『日本は不沈艦だ』と言ったときの私は、多分、ちょっと皮肉が過ぎたかもしれない）

STEP 2 進行形を使って英作文をしてみよう！

1 仕事をやめるしかない地点に、私は達しつつあります。
    仕事をやめる　quit one's job

2 家に帰る途中、私は鍵を事務所に忘れてきたことに気づいた。
    （置き）忘れる　leave
    気づく　realize

3 中東情勢は、複雑になりつつある。
    中東情勢　the Middle East situation
    複雑な　complicated

STEP 3 進行形を使って、さっそくメールを書いてみよう！

> オレが言い寄ってるとStellaが思ってたなんて、信じられないよ。ただ気を遣っていただけなのにさ。
> Dick

    hit on　言い寄る
    being nice　気を遣って、いい人を演じて

> Jillのこと、我慢できないわ。自分が何をやってるかすらわかんないんだから。赤ん坊をなだめるのだって、彼女の下で働くより簡単よ。
> Gina

    stand　我慢する、耐える
    soothe a baby　赤ん坊をなだめる

> 株価は着実なペースで下落しています。これについて何かをせねばならぬことは皆が分かっていますが、どうすればいいかは誰にも分からないのです。悲観的過ぎるでしょうか？
> Roxanne

    the stock price　株価
    decline　下落する
    at a steady pace　着実なペースで
    pessimistic　悲観的な

テクニック② 時制①…進行形

STEP 2 解答

1 I'm getting to a point where I have to quit my job.
   (← I've gotten to a point where I have to quit my job.)

2 As I was going home, I realized I left my keys in my office.
   (← On my way home, I realized I left my keys in my office.)

3 The Middle East situation is becoming complicated.
   (The Middle East situation became complicated.)

STEP 3 解答

I can't believe Stella thought I **was hitting** on her. I **was** just **being** nice!
Dick

I can't stand Jill. She doesn't know what she **is doing**. Soothing a baby is easier than working under her.
Gina

The stock price **is declining** at a steady pace. We all know we have to do something about it, but nobody knows what will work anymore. **Am** I **being** too pessimistic?
Roxanne

テクニック 3 時制②…完了形

Tomomi went to Okinawa
Tomomi は沖縄に行った。

→ Tomomi **has gone** to Okinawa.
Tomomi は沖縄に行ってしまった。

	もとの文はココがイマイチ	このワザでこう解決！
1	「行った」では「過去のある時点で行った」こと以外は明らかにならない。	「行ってしまった」ならば、「だから今ここにはいない」とわかる。
2	以下の例文も、例えば 1 は「親しげでなくなった（そして現在の親しげでない彼がある）」、2 は「立ち直った（そして現在の復興した姿がある）」と、「現時点ではどうなのか」が全て明らかになっている。	

STEP 1 時制を完了形に変え、ニュアンスの違いを確認しよう！

1 John became unfriendly for some reason.
（どういうわけか、John は親しげでなくなった→「どういうわけか、John はこのところ親しげでなくなっている」に）

2 When will Kobe recover from the devastating earthquake of 1995?
（神戸は 1995 年の壊滅的な地震からいつ立ち直るのだろうか？→「神戸は 1995 年の壊滅的な地震から立ち直っている」に）

3 I was involved in research in that particular field six months ago.
（私は六カ月前にまさにその分野の調査に関わりました→「私はまさにその分野の調査にかなり長い間関わっています」に）

4 Although I diligently looked for a job, I had no luck.
（まじめに仕事を探したが、だめだった→「この三カ月まじめに仕事を探しているが、いまのところだめだ」に）

5 I realized that Japan was not exactly a capitalist society.
（私は、日本が必ずしも資本主義社会であるわけでもないことに気づいた→「私は、日本が必ずしも資本主義社会であるわけでもないことに気づくようになった」に）

テクニック② 時制②…完了形

目標 完了時制を使って「〜してしまった」「〜したことがある」というニュアンスを出せるようになろう！

完了形は、日本人が特に苦手な時制です。でも、その根っこにあるのは「過去の動作が現在にまで影響を及ぼしている」という感覚。だから「してしまった（その結果、今の状態がある）」「〜したことがある（その結果、今はそれだけの経験がある）」と訳されることが多いのです。言い換えれば、「現在完了形」は根本的には現在形である、すなわち過去の行為そのものではなくその結果が現在に与えている影響に焦点が定まっている時制であるということ。ココさえしっかりとつかめば怖くありません。

手順はこれだけ！

Tomomi went to Okinawa.

↓

完了形に変化させた方が適切である動詞を見極め、時制を換える。
必要ならば副詞を加えて状況をより鮮明にする（STEP 1 の 1 など参照）。

↓

Tomomi has gone to Okinawa.

STEP 1 解答

1 John has become unfriendly these days for some reason.
（どういうわけか、John はこのところ親しげでなくなっている）

2 Kobe has recovered from the devastating earthquake of 1995.
（神戸は 1995 年の壊滅的な地震から立ち直っている）

3 I have been involved in research in that particular field for quite a while.
（私はまさにその分野の調査に長い間関わっています）

4 Although I have been diligently looking for a job these last three months, I have had no luck yet.
（この三カ月まじめに仕事を探しているが、いまのところだめだ）

5 I have come to realize that Japan is not exactly a capitalist society.
（私は、日本が必ずしも資本主義社会であるわけでもないことに気づくようになった）

STEP 2　完了形を使って英作文をしてみよう！

1　私はこの二週間病気で寝ている。

　　病気で寝ている　sick in bed

2　未成年者の売春はこの数年最も話題に上る問題の一つである

　　未成年者の売春　the prostitution of minors
　　最も話題に上る問題　the most talked-about issue

3　私は以前類似の仕事をしたことがありますので、あなたのプロジェクトをご支援できる自信があります。

　　類似の　similar
　　自信がある　confident

STEP 3　完了形を使って、さっそくメールを書いてみよう！

ねえ、そっちに行っていい？　たった今宿題が終わって、もう遊びに行けるから。
電話して。
Ella

　　have some fun　楽しむ、遊ぶ

いい感じで来ています。私たちのプロジェクトはきっと大成功となるでしょう。このままがんばってください。
Ron

　　Things have been looking good.　物事がいい調子で来ている
　　Keep it up!　そのままがんばれ！

我々の基金からの助成金があなたのご研究に授与されると決まったことをお伝えできて、喜ばしく思います。あなたが社会学の分野における有意な貢献をなさる助けになることを我々一同願っております。
Bruce Rickman

　　grant　助成金　　foundation　財団
　　make a significant contribution　有意な貢献をする
　　in the field of sociology　社会学の分野における
　　best regards　「よろしく」のような語感の、丁寧な結びのあいさつ

STEP 2 解答

1 I have been sick in bed for the last couple of weeks.
   (← I was sick in bed.)

2 The prostitution of minors has been one of the most talked-about issues in the last several years.
   (← The prostitution of minors was one of the most talked-about issues last year.)

3 I'm confident that I'll be able to assist you with your project, since I have done similar work before.
   (I'm confident that I'll be able to assist you with your project, since I did similar work a month ago.)

STEP 3 解答

> Hey, can I come over? I've just **finished** my homework, and am ready to have some fun!
> Call me,
> Ella

> Things **have been** looking good. I'm sure our project will be a great success. Keep it up!
> Ron

> It is a great pleasure to inform you that your research project **has been** awarded a grant from our foundation. We all hope that it will help you make a significant contribution in the field of sociology.
> Best regards,
> Bruce Rickman

テクニック 4 動詞と副詞を組み合わせる

John went to school.
Johnは学校に行った。

➡ John **went straight** to school.
　Johnは学校にまっすぐ行った。

もとの文はココがイマイチ	➡	このワザでこう解決！
1 「行った」だけでは、その動作の様子や雰囲気が目に浮かばない。		「まっすぐ行った」ならば、寄り道をせずにまっすぐ行く姿が浮き彫りになる。
2 「行った」だけでは、動作主Johnのキャラクターや前後の状況について想像する手がかりがない。		「まっすぐ」が起点になって、例えば「遅刻しそうだったんじゃないか」などと想像が膨らみうる。

STEP 1 　適切な場所に副詞を挿入し、ニュアンスの違いを確認しよう！

1　Takashi will come back to Japan.
　（Takashiは日本に帰ってくるだろう→ eventually［最終的には］を挿入）

2　Sean came to my office early this morning.
　（Seanは今朝早く私の事務所に来た→ over［距離を経て］を挿入）

3　I recognized his face when he came out of nowhere and said hi to me.
　（彼がどこからともなくやって来て私にあいさつしたとき、私は彼の顔に見覚えがあると分かった→ immediately［すぐに］を挿入）

4　Jack will assist you with the prep work for the next meeting.
　（次の会合の準備のお手伝いをJackがします→ gladly［よろこんで］を挿入）

5　Japan will go through an even more severe economic recession for the next couple of years.
　（日本は次の二年間、さらに厳しい経済不況を経験するでしょう→ inevitably［不可避的に］を挿入）

テクニック ④ 動詞と副詞を組み合わせる

> **目標** 動詞と副詞を組み合わせて動作のニュアンスをはっきりさせることができるようになろう！

「行った」を「went」とするところまではスムーズに行けても、「まっすぐに行った」とニュアンスを加えようとするととたんに難しく感じるもの。でも、それなしでは生き生きとした表現になりません。この役割を担うのが副詞です。無数にありますが、特によく使うものをここでカバーします。

手順はこれだけ！

John went to school.

⬇

加えたいニュアンスに応じて副詞を選ぶ。
副詞は基本的に動詞の前後に挿入する。

⬇

John went straight to school.

STEP 1　解答

1　Takashi will eventually come back to Japan.
（Takashi は最終的には日本に帰ってくるだろう）

2　Sean came over to my office early this morning.
（Sean は今朝早く私の事務所にやって来た）

3　I immediately recognized his face when he came out of nowhere and said hi to me.
（彼がどこからともなくやって来て私にあいさつしたとき、私は彼の顔に見覚えがあるとすぐに分かった）

4　Jack will gladly assist you with the prep work for the next meeting.
（次の会合の準備のお手伝いを Jack はよろこんでいたします）

5　Japan will inevitably go through an even more severe economic recession in the next couple of years.
（日本は次の二年間、さらに厳しい経済不況を不可避的に経験するでしょう）

STEP 2　動詞と副詞の組み合わせを使って英作文をしてみよう！

1　そのケガをしている犬はまもなく死ぬだろう。
　　　ケガをしている　injured

2　その営業員は私の不服に対して迅速に対応した。
　　　営業員　a sales representative　　不服　complaints
　　　迅速に　promptly　　対応する　respond

3　南極地域上空で、オゾン層の穴が着実に拡大していると報告されている。
　　　南極地域　the Antarctic region　　オゾン層の穴　the ozone hole
　　　拡大する　expand

STEP 3　動詞と副詞の組み合わせを使って、さっそくメールを書いてみよう！

> Dianneとオレの関係はもうすぐ終わる。信じられないよ。
> Chuck

　　relationship　男女関係

> 昨日あげた水はどうだった？　言った通り、阿蘇山の泉から直接持って帰って来たんだよ。よろこんでくれたらうれしいな。
> Kunio

　　a bottle of water　（ビン詰めの）水　　a fountain　泉　　enjoy　（広い意味で）楽しむ

> Applebyさん
> あなたのノート型パソコンをお受け取りしました。それは直ちに我々の修理部へと転送され、可能な限り早くお手元に返送されます。ご不便をおかけして申し訳ありません。
> 顧客サービス課　Martin Rain

　　transfer　転送する　　repair　修理
　　inconvenience　不都合、不便さ

テクニック 4　動詞と副詞を組み合わせる

STEP 2　解答

1　That injured dog will soon die.
　（← That injured dog will die.）

2　The sales representative responded promptly to my complaints.
　（← The sales representative responded to my complaints.）

3　It is reported that the ozone hole is steadily expanding over the Antarctic region.
　（It is reported that the ozone hole is expanding over the Antarctic region.）

STEP 3　解答

My relationship with Dianne will **soon be** over. I can't believe it.
Chuck

How was that bottle of water that I gave you yesterday? As I said, I **brought** it **straight back** from a spring on Mt. Aso. I hope you enjoyed it.
Kunio

Dear Mr. Appleby,
We have received your laptop. It **will immediately be transferred** to our repair department and sent back to you as soon as possible. We apologize for any inconvenience this has caused.
Sincerely,
Martin Rain, Customer Service

テクニック 5　意志を表す will

Come with me.
一緒に来て。

→ **Will** you come with me?
　一緒に来てくれますか？

もとの文はココがイマイチ	→	このワザでこう解決！
1　命令文なので押しが強すぎる。		意志の助動詞 will を使えば、相手の意向を尋ねるニュアンスが出る。

STEP 1　意志を表す will を使って、ニュアンスの違いを確かめよう！

1　Help me with the move.
　（引越しを手伝って→「引越しを手伝ってくれませんか」に）

2　Go there tomorrow morning.
　（そこに明日の朝行って→「そこに明日の朝行ってくれませんか」に）

3　Pass me the salt.
　（その塩をとって→「その塩をとってくれませんか」に）

4　She regretted it.
　（彼女はそれを後悔した→「彼女はそれを後悔するだろう」に）

5　He realized that it was his fault and nobody else's.
　（それが彼自身のせいであって他の誰のせいでもないと彼は理解した→「それが彼自身のせいであって他の誰のせいでもないと彼は理解するだろう」に）

テクニック 5　意志を表す will

目標　意志の助動詞 will を使って「～するつもり」「きっと～するだろう」というニュアンスを出せるようになろう！

中学校で学ぶ助動詞 will には、二つの「顔」があります。ひとつは主語の意志を表す場合で、例文のように相手の意向を問う場合にはとりわけ重宝します。もうひとつは話し手による推測を表す場合で、話し手の強い意志が感じられることが多々あります。例えば、"He will know sooner or later." であれば、「彼は遅かれ早かれ思い知るだろう」という言葉の向こうに、そう考えている話し手の姿がはっきりと見えるのです。

手順はこれだけ！

Come with me.
⬇
助動詞 will と主語に当たる名詞を補う。
⬇
Will you come with me?

STEP 1　解答

1　Will you help me with the move?
　（引越しを手伝ってくれませんか）

2　Will you go there tomorrow morning?
　（そこに明日の朝行ってくれませんか）

3　Will you pass me the salt?
　（その塩をとってくれませんか）

4　She will regret it.
　（彼女はそれを後悔するだろう）

5　He will realize that it was his fault and nobody else's.
　（それが彼自身のせいであって他の誰のせいでもないと彼は理解するだろう）

2　ニュアンスをはっきりさせるワザ

STEP 2 意志を表す will を使って、英作文をしてみよう！

1 コーヒーは要りませんか？

2 こちらに来て座りますか？

3 顧客と信頼関係を築くのがどんなに大変かあなたは思い知るだろう
　　信頼関係　rapport

STEP 3 意志を表す will を使って、さっそくメールを書いてみよう！

> Michelle、あなたのメールを受け取り、あなたの言っていることははっきり分かりました。しかし、次の仕事をみつける前に直ちに仕事を辞めるのがいい考えかどうかは分かりません。あなたを秘書として雇いたいかもしれない人を私はたまたま知っているのですが、喜んであなた方をお引きあわせしますよ。興味があるなら、メールをくれませんか？
> Steven

　　more than happy to　喜んで〜する

テクニック 5　意志を表す will

STEP 2　解答

1 Won't you have some coffee?
　(← Have some coffee.)

2 Will you come and sit here?
　(← Come and sit here.)

3 You will know how hard it is to build rapport with a customer.
　(← Know how hard it is to build rapport with a customer.)

STEP 3　解答

> Michelle, I got your email and understood exactly what you are saying, but I don't know if it's a good idea to quit your job immediately before you get another job. I happen to know someone who may want to hire you as a secretary and I am more than happy to hook you guys up. **Will** you mail me back if you are interested?
> Steven

テクニック 6 must と have to

I'm leaving now.
私はもう行きます。

→ I **must** leave now.
　私はもう行かねばなりません。

	もとの文はココがイマイチ	→	このワザでこう解決！
1	「もう行く」という事実を表すにとどまる		「行かねばならない」という話し手の強い意思が感じられる

STEP 1 must と have to を使って、ニュアンスの違いを確かめよう！

1 Study hard to pass the exam.
　（その試験に合格するために一所懸命勉強しなさい→「あなたはその試験に合格するために一所懸命勉強せねばならない」に）

2 I will resume serious workouts.
　（私は本気で体を動かすのを再開します→「私は本気で体を動かすのを再開せねば」に）

3 You are rich to buy such an expensive car.
　（そんなに高価な車を買うとはあなたは金持ちだ→「そんなに高価な車を買うとはあなたは金持ちに違いない」に）

4 The poor pianist sold his piano.
　（その哀れなピアニストは自分のピアノを売った→「その哀れなピアニストは自分のピアノを売らねばならなかった」に）

5 We waited for days until the new computer arrived.
　（私たちはその新しいコンピュータが到着するまで何日も待った→「私たちはその新しいコンピュータが到着するまで何日も待たねばならなかった」に）

テクニック 6　must と have to

> **目標**　助動詞 must を使って、「〜せねばならない」「〜であるに違いない」というニュアンスを出せるようになろう！

　助動詞 must は話し手の強い意思を表し、それが「〜せねば」という意味にも、「〜であるに違いない」という意味にもなります。これと似て非なるものが have to で、こちらは「（自分の意思を超えた理由で）〜せざるを得ない」という「不本意」が根本。例えば、"I have to leave now." は、別な用事が入っている、片付けねばならない仕事があるなどの理由で、「本当は行きたくないけれども行かざるを得ない」というのが本来の意味です。

手順はこれだけ！

I'm leaving now.

⬇

助動詞 must を挿入。

⬇

基本的に、後に続く動詞は原形に戻す。

⬇

I must leave now.

STEP 1　解答

1　You must study hard to pass the exam.
　（あなたはその試験に合格するために一所懸命勉強せねばならない）

2　I must resume serious workouts.
　（私は本気で体を動かすのを再開せねば）

3　You must be rich to buy such an expensive car.
　（そんなに高価な車を買うとはあなたは金持ちに違いない）

4　The poor pianist had to sell his piano.
　（その哀れなピアニストは自分のピアノを売らねばならなかった）

5　We had to wait for days until the new computer arrived.
　（私たちはその新しいコンピュータが到着するまで何日も待たねばならなかった）

STEP 2　must と have to を使って、英作文をしてみよう！

1　日本は国全体を再構築せねばならない。
　　再構築する　restructure

2　ひどい雪のせいで私はもう一週間そこに滞在せねばならなかった。
　　〜のせいで　due to

3　私たちの担任の先生は、私たちのいたずらにひどく怒っているに違いない。
　　いたずら　practical joke

STEP 3　must と have to を使って、さっそくメールを書いてみよう！

Tommy、我が社は財政危機にあり、会計士がたった今報告書を送ってきました。それには、手遅れになる前にこの状況に対処するのにわずか二〜三カ月しかないと書いてあります。何をすればよいか私には分かりません。我々の選択が上手く行くかどうかも分かりません。しかし、我々は何かをせねばなりませんし、しかも今せねばなりません。何から始めるべきだとあなたは思いますか？
Alex

　　financial crisis　財政危機
　　accountant　会計士

テクニック 6　must と have to

STEP 2　解答

1　Japan must restructure the whole country.
　（← Japan restructures the whole country.）

2　I had to stay there another week due to the heavy snow.
　（← I stayed there another week due to the heavy snow.）

3　Our homeroom teacher must be very angry at our practical joke.
　（← Our homeroom teacher was very angry at our practical joke.）

STEP 3　解答

Tommy, our company is in financial crisis and our accountant has just sent us a report that says we have only a few months left to handle the situation before it's too late. I don't know what to do. I don't know if whatever we choose to do will work out. But we **must** do something and do it now. What do you think we should start with?
Alex

テクニック 7 助動詞の完了形①…should have

I shouldn't do it.
私はそうすべきでない。

➡ **I shouldn't have done** it.
私はそうすべきでなかった。

もとの文はココがイマイチ	➡	このワザでこう解決！
1 「そうすべきではない」は現時点での話であって、過去にはさかのぼることができない。		「そうすべきではなかった」とすれば、過去の時点で何かすべきでないことをしたことが明らかになる。

2 「そうすべきではなかった」と言うことによって、「後悔」や「遺憾」の念が伝わる。

STEP 1 should を含む動詞句を完了形に変えて、ニュアンスの違いを確認しよう！

1 You should know better.
   （お前はもっと分別があるべきだ）

2 I should go home over the weekend for Grandpa's funeral.
   （じいちゃんの葬式のために週末は実家に帰るべきだ）

3 You shouldn't say such horrible things to your own girlfriend.
   （自分の彼女にそんなにひどいことを言うべきじゃない）

4 Japan should take more practical measures to solve the problems in the banking sector.
   （日本は銀行部門の問題を解決するためにより実践的な手段をとるべきだ）

5 The potential risks of biotechnology should be thoroughly discussed.
   （バイオテクノロジーの潜在的な危険は徹底的に議論されるべきだ）

テクニック ⑦ 助動詞の完了形①…should have

目標 should have を使って「すべきだった（すべきではなかった）」というニュアンスが出せるようになろう！

ここからしばらくは、「助動詞＋完了形」です。中学校で習った should や must までは大丈夫でも、後ろに完了形がくると少々身構えてしまうもの。でも、そんなに難しくはないのです。要は、「助動詞に続く動作は既に済んでしまった」ということを示すために、完了形を使っているだけ。残りは中学校で習ったことと何一つ変わりません。まずは、「〜すべきだった」「〜すべきでなかった」と後悔を表す should have から。

手順はこれだけ！

I shouldn't do it.

⬇

should に続く動詞を完了形（have ＋過去分詞）にする。

⬇

I shouldn't have done it.

STEP 1　解答

1　You should have known better.
（お前はもっと分別があるべきだった）

2　I should have gone home over the weekend for Grandpa's funeral.
（じいちゃんの葬式のために週末は実家に帰るべきだった）

3　You shouldn't have said such horrible things to your own girlfriend.
（自分の彼女にそんなにひどいことを言うべきじゃなかった）

4　Japan should have taken more practical measures to solve the problems in the banking sector.
（日本は銀行部門の問題を解決するためにより実践的な手段をとるべきだった）

5　The potential risks of biotechnology should have been thoroughly discussed.
（バイオテクノロジーの潜在的な危険は徹底的に議論されるべきだった）

STEP 2 should have を使って英作文をしてみよう！

1　お前は宿題を先延ばしにするべきじゃなかった。

　　先延ばしにする　procrastinate

2　我々は暴力が問題を解決しないと悟るべきだった。

　　暴力　violence
　　悟る　realize

3　人間文明はこの進路を取るべきではなかった。

　　人間文明　human civilization
　　進路　course

STEP 3 should have を使って、さっそくメールを書いてみよう！

試験に通らなくて残念だったね。でも、正直言って、お前はもっと一所懸命に勉強すべきだったと思う。
Heath

　　to be honest　正直言って

ねえ、あなたが買ったばかりのテレビについての不平不満はもううんざり。そもそも一番安いのなんかを選ぶべきじゃなかったのよ。
Marcy

　　enough　（うんざりするほど）十分な
　　go for　選ぶ
　　option　選択肢
　　in the first place　そもそも

つまり私の意見では、日本は自国経済がついにアメリカに追いついた80年代後半に熱狂するべきではなかったのです。以来我々が格闘している経済問題のほとんど全てはそれによって引き起こされたのですから。今週、いつか更に話し合いましょうか？
Ross

　　exuberant　熱狂して
　　catch up with　〜に追いつく

テクニック 7　助動詞の完了形①…should have

STEP 2 解答

1 You shouldn't have procrastinated over doing your homework.
   (← You shouldn't procrastinate over your homework.)

2 We should have realized that violence won't solve our problems.
   (← We should realize that violence won't solve our problems.)

3 Human civilization shouldn't have taken this course.
   (Human civilization shouldn't take this course.)

STEP 3 解答

> Sorry that you didn't pass the exam. But, to be honest, I think you **should have studied** harder.
> Heath

> Hey, enough complaints about that TV you just bought. You **shouldn't have gone** for the cheapest option in the first place.
> Marcy

> My opinion is, in brief, Japan **shouldn't have been** so exuberant in the late 80's when its economy finally caught up with America's. That basically caused all of the economic problems we have been struggling with since then. Do you want to discuss this further sometime this week?
> Ross

ニュアンスをはっきりさせるワザ

テクニック 8 助動詞の完了形②…could have

Amanda could come to John's farewell party.
Amanda は John のお別れ会に、来ようとすれば来れる。

➡ Amanda **could have come** to John's farewell party.
　Amanda は John のお別れ会に、来ようとすれば来れた。

もとの文はココがイマイチ	➡	このワザでこう解決！

1 「来ようとすれば来れる」は現在の話であって、過去にさかのぼれない。｜「来ようとすれば来れた」と過去の話に言い及ぶことができる。

2 「来ようとすれば来れた」から、「実際には来なかった」と言外に示される。

STEP 1 can、could を含む動詞句を完了形に直して、ニュアンスの違いを確認しよう！

1　I'm sure you can call me.
　（あなた、私に電話できるでしょう？）

2　The shipping cost could be cut in half.
　（しようとすれば、運送費は半分にできる）

3　My boss could wait another day or two for me to put together the paperwork.
　（待とうとすれば、私の上司は私がその書類をまとめるのにあと一日二日待てる）

4　I think America could avoid starting their "War On Terrorism" if they wanted to.
　（アメリカは、望めば「反テロ戦争」開始を避けようとすれば避けえると思う）

5　This interracial conflict could be avoided if proper measures were taken.
　（人種間のこの紛争は、適切な手段が取られれば避けられる）

テクニック⑧　助動詞の完了形②…could have

目標 could have を使って「〜しようとすればできた」というニュアンスが出せるようになろう！

「助動詞＋完了形」の第二弾。今度は could です。この助動詞の基本は「〜しようとすればできる」。注意しなければならないのは、これが仮定法を含む表現であること。つまり、「しようとすればできる。しかし、実際にはしない（するかどうか分からない）」という含みがあるのです。完了形が後に続けば「〜しようとすればできた（しかし、実際にはしなかった）」と過去の話をしていることになります。ちょっとフクザツなので、気をつけて！

手順はこれだけ！

Amanda could come to John's farewell party.

⬇

could に続く動詞を完了形（have ＋過去分詞）にする。

⬇

Amanda could have come to John's farewell party.

STEP 1　解答

1　I'm sure you could have called me.
　（あなた、私に電話できたでしょう？）

2　The shipping cost could have been cut in half.
　（しようとすれば、運送費は半分にできた）

3　My boss could have waited another day or two for me to put together the paperwork.
　（待とうとすれば、私の上司は私がその書類をまとめるのにあと一日二日待てた）

4　I think America could have avoided starting their "War On Terrorism if they had wanted to.
　（アメリカは、望めば「反テロ戦争」を避けようとすれば避けえたと思う）

5　This interracial conflict could have been avoided if proper measures had been taken.
　（人種間のこの紛争は、適切な手段が取られたならば避けられた）

STEP 2　could have を使って英作文をしてみよう！

1　しようとすれば、キミは締切の前に課題を仕上げることができ得た。
　　　締切　deadline　　課題　assignment

2　あれほどの火事だったので、私たちの家は焼け得た。
　　　火事　fire　　焼ける　burn

3　400人を超える労働者が我が社のリストラの過程で解雇され得た。
　　　リストラ　restructuring
　　　過程　process
　　　解雇する　lay off

STEP 3　could have を使って、さっそくメールを書いてみよう！

> 今日の午後、車に危うくひかれるところだったよ。死んでたかも。
> ふぅ…
> Wes

　　　run over（車でひく）
　　　Jeez　Jesus の口語形で、「やれやれ」「ああ驚いた」などの感慨を表す

> この一カ月世界中ではびこってる新しいウィルスにオレのコンピュータが感染したかもしれないと言われてさ。ありがたいことに、大丈夫だったけど。お前のは？
> Peter

　　　infect　感染する　　rampant　はびこる

> 中国経済の急速な成長などのさまざまな要因による今日のデフレ状況を、経営陣は予見しえました。故に、その状況に対処するために私たちの給料を削るのは不公平だと私は思います。あなた方がどう思うか聞かせてください。
> George

　　　foresee　予見する
　　　today's deflationary situation　今日のデフレ状況
　　　factor　要因　　unfair　不公平な

テクニック 8 助動詞の完了形②…could have

STEP 2 解答

1 You could have finished your assignment before the deadline.
 (← You could finish your assignment before the deadline.)

2 Our house could have burned down in such a big fire.
 (← Our house could burn down in such a big fire.)

3 Over 400 workers could have been laid off in the process of our company's restructuring.
 (Over 400 workers could be laid off in the process of our company's restructuring.)

STEP 3 解答

I was almost run over by a car this afternoon. I **could have** died. Jeez...
Wes

Someone told me that my computer **could have been** infected with the new virus that has been running rampant all over the world for the last month. Luckily, it wasn't. What about yours?
Peter

The management **could have foreseen** today's deflationary situation as a result of various factors such as the rapid growth of the Chinese economy. Therefore, I think it is completely unfair to cut our salary in order to deal with it.
Tell me what you think,
George

テクニック9 助動詞の完了形③…might have, may have

I said it to you.
私はあなたにそう言った。

➡ I **might have said** it to you.
私はあなたにそう言ったかもしれない。

	もとの文はココがイマイチ	➡	このワザでこう解決！
1	「そう言った」では断定することになってしまう。		might have を挿入して「そう言ったかもしれない」とすれば、不確かであることが伝わる。

STEP 1 動詞を might (may) have を含む形に直して、ニュアンスの違いを確認しよう！

1 Rose came to visit me last night.
（Rose がゆうべ私を訪れた）

2 Someone masterminded that airplane crash a week ago.
（一週間前のあの飛行機墜落は誰かが糸をひいていた）

3 We made a fatal mistake.
（我々は致命的な過ちを犯した）

4 Issuing so many government bonds was a terrible mistake.
（これほど大量の公債の発行はひどい過ちだった）

5 West Japan University Hospital has been covering up their medical malpractice for years.
（西日本大学病院は何年も医療過誤を隠してきた）

テクニック⑨ 助動詞の完了形③…might have, may have

目標 might (may) have を使って「〜だったかもしれない」というニュアンスを出せるようになろう！

「助動詞＋完了形」の第三弾。今度は might (may) have です。might は may の過去形という顔も持っているのですが、単独で「〜したかもしれない」という過去の動作に対する推量を表すことはできません。そこで、このニュアンスを出すためには動詞の完了形を常に伴うことになるのです。この場合、might の代わりに may を使うこともよくあります。これらは厳密には might の方がより「確信度」が低いとも言えますが、実用上はこれらの間にはほとんど差がありませんので、気にしなくても大丈夫です。

手順はこれだけ！

I said it to you.

⬇

動詞の前に might (may) have を挿入し、続く動詞を過去分詞形に直す。

⬇

I might have said it to you.

STEP 1　解答

1　Rose might have come to visit me last night.
（Rose がゆうべ私を訪れたかもしれない）

2　Someone may have masterminded that airplane crash a week ago.
（一週間前のあの飛行機墜落は誰かが糸をひいていたかもしれない）

3　We may have made a fatal mistake.
（我々は致命的な過ちを犯したかもしれない）

4　Issuing so many government bonds may have been a terrible mistake.
（これほど大量の公債の発行はひどい過ちだったかもしれない）

5　West Japan University Hospital might have been covering up their medical malpractice for years.
（西日本大学病院は何年も医療過誤を隠してきたかもしれない）

STEP 2　might (may) have を使って英作文をしてみよう！

1　強盗が私の家に押し入ったかもしれない。
　　　強盗　burglar　　押し入る　break in

2　その紳士は私を誰か他の人と間違えていたのかもしれない。
　　　間違える　mistake

3　いわゆるバブル経済崩壊は不可避だったのかもしれない。
　　　バブル経済崩壊　the bursting of the Bubble Economy
　　　不可避の　inevitable

STEP 3　might (may) have を使って、さっそくメールを書いてみよう！

よお、例の旅行代理店の番号、間違ったのを教えたかも。正しくは574-3928だから。
Sammy

　　　a travel agency　旅行代理店

あなたが言うように Ebony は夕べ他の誰かといたかもしれないけど、だからって彼女が浮気をしてると即断すべきじゃないと思うわ。彼女に電話して話したら？
必要なら私にも電話して。
Nancy

　　　conclude　断定する　　cheat on ~　~に対して浮気をする
　　　talk out　胸の内を話す

価格についてはっきりとさせていなかったかもしれないことをお詫びします。ユニットあたり40ドルが、可能な限り最低の選択肢です。我々には下請け業者との間で決定済みの価格があり、彼らはこれ以上譲歩いたしません。この価格があなたのご予算に見合うことを願っています。
ありがとうございました。
Barry Bloodworth

　　　forty dollars per unit　ユニットあたり40ドル
　　　subcontractors　下請け業者　　concede　譲歩する

テクニック⑨　助動詞の完了形③…might have, may have

STEP 2　解答

1　A burglar **might have broken** into my house.
　(← A burglar broke into my house.)

2　That gentleman **may have been mistaking** me for someone else.
　(← That gentleman was mistaking me for someone else.)

3　The bursting of the so-called "bubble economy" **might have been** inevitable.
　(The bursting of the so-called "bubble economy" was inevitable.)

STEP 3　解答

> Hey, I **may have given** you the wrong number for that travel agency. The right one is 574-3928.
> Sammy

> Ebony **might have been** with someone last night as you say, but I don't think you should quickly conclude that she was cheating on you. Why don't you call her and talk it out?
> Call me if you need to,
> Nancy

> I apologize that I **may not have made** myself clear enough on the price. Forty dollars per unit is the lowest possible price. We have a set price with our subcontractors, and they won't concede any further. I hope this meets your budget.
> Thank you very much,
> Barry Bloodworth

テクニック10 助動詞の完了形④…must have

Bill went to do grocery shopping.
Billは食品などの買い物に行った。

➡ Bill **must have gone** to do grocery shopping.
　Billは食品などの買い物に行ったに違いない。

	もとの文はココがイマイチ	➡	このワザでこう解決！
1	「行った」では断定になってしまう。		must have を使って「行ったに違いない」とすれば、「断定できないまでもそう考えてまず間違いない」というニュアンスが加わる。

STEP 1　動詞を must have を含む形に直して、ニュアンスの違いを確認しよう！

1　Debbie studied very hard to pass the exam.
　（Debbieはその試験に通るためにとても一所懸命勉強した）

2　You ate something bad.
　（あなたは何か悪いものを食べた）

3　My parents knew everything about my wrongdoings.
　（私の両親は私の犯した過ちについてはみんな知っていた）

4　There were several factors that led to that terrible traffic accident.
　（そのひどい交通事故に至ったいくつかの要因があった）

5　God came down from heaven and stopped the bullet when that insane guy shot at me yesterday.
　（昨日気の狂ったその男が私を撃ったとき、神が天から降りて来て弾を止めた）

テクニック⑩　助動詞の完了形④…must have

> **目標** must have を使って「～したに違いない」というニュアンスが出せるようになろう！

「助動詞＋完了形」の第四弾は must have です。これは「～したに違いない」と、過去についての強い推量を表します。「断定はできないけれども相当に確信がある」ということですね。これで「助動詞＋完了形」はおしまいですが、これら四つを身につけておくだけで、微妙なニュアンスを込めて過去の動作に言い及ぶことができることがお分かりになったと思います。ぜひ活用してください！

手順はこれだけ！

Bill went to do grocery shopping.
⬇
must have を挿入し、動詞を過去分詞形に直す。
⬇
Bill must have gone to do grocery shopping.

STEP 1　解答

1　Debbie must have studied very hard to pass the exam.
（Debbie はその試験に通るためにとても一所懸命勉強したに違いない）

2　You must have eaten something bad.
（あなたは何か悪いものを食べたに違いない）

3　My parents must have known everything about my wrongdoings.
（私の両親は私の犯した過ちについてはみんな知っていたに違いない）

4　There must have been several factors that led to that terrible traffic accident.
（そのひどい交通事故に至ったいくつかの要因があったに違いない）

5　God must have come down from heaven and stopped the bullet when that insane guy shot at me yesterday!
（昨日気の狂ったその男が私を撃ったとき、神が天から降りて来て弾を止めたに違いない）

STEP 2 must have を使って英作文をしてみよう！

1 Snoop は引っ越したに違いない。

　　引っ越す　move out

2 その会社は我々のホストコンピュータから我々の最新製品の一つについての情報を盗んだに違いない。

　　最新製品　the newest product

3 人類の繁栄の前に、よく発達したある種の文明があったに違いない。

　　人類　the human race　　繁栄　prosperity
　　よく発達した　well-developed　　ある種の　some type of
　　文明　civilization

STEP 3 must have を使って、さっそくメールを書いてみよう！

> そのいたずらの背後には Brian がいるに違いないわ。彼のことは知ってるから。
> Meg

　　a practical joke　いたずら

> 中間テストで Steve が A を取ったなんて信じられる？　前の夜に彼がバーでぶらついてるのを見たわよ。カンニングをしたに違いないわ。そう思わない？
> Kim

　　the mid-term　中間テスト　　cheat　カンニングをする

> このビル全体の空調が、今、機能不全に陥っています。技術者が言うには、昨夜と今朝の間に、電気系の何かがおかしくなったに違いないそうです。不便をおかけして申し訳ありません。
> Michael Curtis

　　malfunction　機能不全に陥る　　a technician　技術者

テクニック⑩　助動詞の完了形④…must have

STEP 2　解答

1 Snoop must have moved out.
   (← Snoop moved out.)

2 That company must have stolen some information about one of our newest products from our host computer.
   (← That company stole some information about one of our newest products from our host computer.)

3 There must have been some type of well-developed civilization before the prosperity of the human race.
   (There was some type of well-developed civilization before the prosperity of the human race.)

STEP 3　解答

Brian **must have been** the one behind that practical joke. I know him.
Meg

Can you believe Steve got an A on the mid-term? I saw him hanging out in a bar the night before. He **must have cheated**, don't you think?
Kim

The air-conditioning of the whole building is malfunctioning now. A technician says that something **must have gone** wrong electrically between last night and this morning. Sorry for the inconvenience.
Michael Curtis

テクニック 11 目的補語を活用する

The door is open.
ドアが開いている。

→ **I kept the door open.**
私はドアを開けっ放しにした。

もとの文はココがイマイチ	→	このワザでこう解決！
1 「ドアが開いている」では、誰が開けたのか、どういう状態で「開いている」のか、はっきりしない。		目的補語を使って「私はドアを開けっ放しにした」とすれば、開けたのが「私」であり、単に開いているのではなくて「開けっ放しにしてある」ことが伝わって来る。このあたりのきめ細かさを出せるのが、目的補語のツヨミ。

STEP 1 目的補語を含む文に書き換えて、ニュアンスの違いを確認しよう！

1 It is a secret.
（それは秘密です→ keep を使って「それは秘密にしておいてくれる？」に）

2 I was crying deep in my heart.
（私は心の奥深くで泣いていた→ feel を使って「私は自分が心の奥深くで泣いているのを感じた」に）

3 Louise's diamond ring was stolen during her trip to Italy.
（イタリア旅行をしている間に、Louise のダイヤの指輪が盗まれた→ have を使って「イタリア旅行をしている間に、Louise はダイヤの指輪を盗まれた」に）

4 My English was understood.
（私の英語は理解された→ make を使って「英語で自分を理解してもらうのはとても大変だ」に）

テクニック⑪　目的補語を活用する

目標 目的補語を使ってきめ細かい表現ができるようになろう！

完了形に続いて、日本人の苦手な目的補語です。でも、知っておかなければならないのは一点だけ。「目的語＝目的補語」という関係です。例文ならば、目的語が the door で目的補語が open。「the door イコール open」、つまり「ドアが開いている」。それを keep したのが「私（I）」。だから、全文では「私はドアを開けっ放しにした」となるわけです。ほら、大丈夫！

手順はこれだけ！

The door is open.
⬇
be 動詞を省く。
⬇
the door open
⬇
適切な主語と動詞を前につける。
⬇
I kept the door open.

STEP 1　解答

1　Will you keep it a secret?
　（それは秘密にしておいてくれる？）

2　I felt myself crying deep in my heart.
　（私は自分が心の奥深くで泣いているのを感じた）

3　Louise had her diamond ring stolen during her trip to Italy.
　（イタリア旅行をしている間に、Louise はダイヤの指輪を盗まれた）

4　It is very hard to make myself understood in English.
　（英語で自分を理解してもらうのはとても大変だ）

5 I was quite embarrassed after making such careless remarks at the conference.
(その会議であんなにも不注意な発言をした後で、私はかなり恥ずかしかった→ find を使って「その会議であんなにも不注意な発言をした後で、私はかなり恥ずかしがっている自分に気づいた」に)

STEP 2 目的補語を使って英作文をしてみよう！

1 犬が鳴いているのが聞こえたが、何も見えなかった。
　　鳴く　bark

2 私は、自分がかなり難しい立場にいることに気づいた。
　　難しい立場　a difficult position

3 利子率をこれほど長く史上最低に保つことは、実際にはむしろ状況を悪化させさえしているように私には見えます。
　　利子率　interest rates　　史上最低　a record low　　実際にはむしろ　actually

STEP 3 目的補語を使って、さっそくメールを書いてみよう！

誰にも言わないから。自分の口だけつぐんどきなよ、ね？
Donald

よお、お前が Beale 通りをゆうべ金髪と手をつないで歩いてるのを見たぜ。Alison には既に言ってあるから、今すぐ逃げ出さなきゃ、じきに自分が大変な状況にいるのを思い知ることになるからな。へっへっへっ。
Mickey

　　hand in hand　手をつないで　　a blonde　金髪女性　　escape　逃げ出す

あなたを当社社長 Shawn Archer 主催のクリスマスディナーにご招待できることを大変喜ばしく思っております。会はインフォーマルにするつもりですので、最もお好きなカジュアルウェアで6時から9時の間にいつでもおいでになって下さい。当日お会いできますことを楽しみにしております。
敬具
Michelle Jackson

　　informal　インフォーマルの、堅苦しくない　　casual wear　カジュアルウェア、普段着

5 I found myself quite embarrassed after making such careless remarks at the conference.
（その会議であんなにも不注意な発言をした後で、私はかなり恥ずかしがっている自分に気づいた）

STEP 2 解答

1 I heard a dog barking but didn't see anything.
   (← A dog was barking.)
2 I found myself in a rather difficult position.
   (← I was in a rather difficult position.)
3 It seems to me that keeping interest rates at a record low for such a long time is actually making the situation even worse.
   (← The situation is getting worse.)

STEP 3 解答

I will not tell anyone. Just **keep your mouth shut**, OK?
Donald

Hey, I saw you walking hand in hand with a blonde last night on Beale Street. I've already told Alison about it, so you will soon **find yourself in real hot water** if you don't escape right away. Hehehe...
Mickey

It is a great pleasure to invite you to the Christmas dinner hosted by Shawn Archer, president of our company. We intend to **keep it rather informal**, so please come anytime between 6 and 9 p.m. in your favorite casual wear. We are all looking forward to seeing you there.
Sincerely,
Michelle Jackson

テクニック 12 不定詞や分詞の主語を明確にする

It is hard to make time for the event now.
今そのイベントのために時間を作るのは大変だ。

→ It is hard **for me to make** time for the event now.
　私が今そのイベントのために時間を作るのは大変だ。

もとの文はココがイマイチ	→	このワザでこう解決！
1 「そのイベントのために時間を作る」のが誰なのかが明らかでないので、単に一般的な話をしているような印象を与えてしまう。		for me を挿入することによって「私が時間を作る」となり、「私が（時間を作るのが）大変だ」という話をしていることがはっきりする。

STEP 1 不定詞や分詞の主語を明確にしつつ文を書き換えて、ニュアンスの違いを確認しよう！

1 Tony came to your concert all the way from Boston.
（Tony はあなたのコンサートのためにボストンからはるばるやって来た→「Tony があなたのコンサートへとボストンからはるばるやって来たのはとても親切だ」へ）

2 You are making it rather difficult to settle the deal.
（あなたはこの取引をまとめるのをむしろ困難にしています→「あなたは我々がこの取引をまとめるのをむしろ困難にしています」へ）

3 Most fast food is too greasy.
（大部分のファストフードは油っこすぎる→「大部分のファストフードは私には油っこすぎて毎日は食べられない」へ）

4 The bomber has flown too far away.
（その爆撃機はあまりに遠くへ飛び去ってしまった→「その爆撃機はあまりに遠くへ飛び去ってしまったので、我々のレーダーシステムでは追跡できなかった」へ）

テクニック⑫　不定詞や分詞の主語を明確にする

> **目標** 不定詞や分詞の意味上の主語を示して誰が「動作主」かをはっきりさせることができるようになろう！

不定詞も分詞も、「準動詞」と呼ばれることがあります。その名の通り、どちらも動詞の変化形で、必ず何らかの動作を表します。動作には当然、動作主（主語）が必要。ここが今回のポイントです。動作主をあえて示さなくてもいい場合や動作主が文の主語と一致するので敢えて言わない場合もありますが、原則としては明示する必要があります。慣れないうちは見落としがちなので、気をつけて！

手順はこれだけ！

It is hard to make time for the event now.

⬇

不定詞（句）や分詞（句）の前に意味上の主語となる名詞をつける。

⬇

It is hard me to make time for the event now.

⬇

必要に応じて意味上の主語の前に for や of などの前置詞をつける（STEP 1 の 1 など参照）。

⬇

It is hard for me to make time for the event now.

STEP 1　解答

1　It was very nice of Tony to come to your concert all the way from Boston.
（Tony があなたのコンサートのためにボストンからはるばるやって来たのはとても親切だ）

2　You are making it rather difficult for us to finalize the deal.
（あなたは我々がこの取引をまとめるのをむしろ困難にしています）

3　Most fast food is too greasy for me to eat every day.
（大部分のファストフードは私には油っこすぎて毎日は食べられない）

4　The bomber has flown too far away for our radar system to detect it.
（その爆撃機はあまりに遠くへ飛び去ってしまったので、我々のレーダーシステムでは追跡できなかった）

5 The concept of "equivalent exchange" is so rampant in today's society.
（等価交換は今日の社会にはあまりにはびこっている→「等価交換は今日の社会にはあまりにはびこっており、人々はもはや金銭的補償なしには何もすすんでしないようだ」へ）

STEP 2 不定詞や分詞の主語を明確にしつつ、英作文をしてみよう！

1 彼らの議論はあまりにも難しすぎ、私は起きて聞き続けることができなかった。
　　　議論　discussion　　起きている　stay awake

2 その音はあまりにも微かでその老人には聞こえなかった。
　　　微かな　faint

3 ときどきメールを差上げてもよろしいですか？
　　　ときどき　every once in a while

STEP 3 不定詞や分詞の主語を明確にしつつ、さっそくメールを書いてみよう！

> あなたが陪審員に真実を語ったのはとても勇気あることです。あなたを誇りに思います。
> Tammy

　　courageous　勇気ある　　jury　陪審員

> …で、あんたたちはその映画を見に行ったけど、明らかにMartinは気に入らなかったわけね。気に入らなかったことそのものは別にいいと思うわよ。好みは人それぞれなんだから。でも、そのいらいらをあんたにぶつけるってのは間違ってるわよ。あたしが彼にそう言ってあげようか？
> Carol

> 暴力は人類の歴史にあまりにもよく見られるので、物事を平和裏に解決できない場合に私たちが暴力に訴えるのは、本能なのかもしれません。この観点からは、世界平和をまだ実現できないことは当然の帰結であると思われます。私には分かりませんが。あなたはどう思いますか？
> P. Hayashi

　　instinctive　本能的な　　resort to 〜　（手段として）〜に訴える

5 With the concept of "equivalent exchange" being so rampant in today's society, people don't seem willing to do anything without monetary compensation anymore.
（価値の交換は今日の社会にはあまりにはびこっており、人々はもはや金銭的補償なしには何もすすんでしないようだ）

STEP 2 解答

1 Their discussion was too difficult for me to stay awake and listen to.
　（← Their discussion was too difficult to stay awake for and listen to.）

2 The sound was too faint for the old man to hear.
　（← The sound was too faint to hear.）

3 Would you mind me sending you an e-mail every once in a while?
　（← Would you mind sending me an e-mail every once in a while?）

STEP 3 解答

It is very courageous **of you to tell** the truth to the jury. I'm proud of you.
Tammy

So, you guys went to see that film, but apparently Martin didn't like it. I think it's OK that he didn't like it. People have different tastes. But it was wrong **of him to take** his frustration out on you. Do you want me to tell him?
Carol

Violence is so common in human history that it might be instinctive **for us to resort** to it when we are unable to settle things peacefully. From this viewpoint, not being able to realize world peace yet can be seen as a natural consequence of our own innate tendencies. I don't know. What do you think?
P. Hayashi

テクニック 13 こちらの感情を前もって伝える

Dan came home alive from Vietnam.
Dan はベトナムから生きて帰って来た。

→ **To my surprise**, Dan came home alive from Vietnam.
驚いたことに、Dan はベトナムから生きて帰って来た。

	もとの文はココがイマイチ	→	このワザでこう解決！
1	「Dan がベトナムから生きて帰って来た」という事実の描写以外は何も伝わってこない。		to my surprise によって、こちらの驚きが伝わる。
2	これからどんな話が展開するか、一切手がかりがない。		to my surprise によって、読み手は「何か驚くべきニュースが続くに違いない」と予想できる。

STEP 1 こちらの感情を伝える表現を挿入して、ニュアンスの違いを確認しよう！

1. You weren't selected to the university baseball team.
   （大学の野球チームにあなたは選ばれませんでした→ I hate to tell you this ［言いたくはないんですが］を挿入）

2. Will you wait a little while for my share of the rent?
   （家賃の私の持分、ちょっとのあいだ待ってくれない？→ I hate to ask you this again ［またこんなことを頼みたくはないんだけど］を挿入）

3. It will rain tomorrow so we may need to put off the soccer game.
   （明日は雨が降るだろうから、サッカーの試合を延期する必要があるかもしれません → I'm afraid ［残念ですが〜と思います］を挿入）

4. There are still some things that I don't care for about the film.
   （それでもやはり、その映画には、私の好みでないもの［部分］があります→ as much as I like the film ［その映画は本当に好きなんだけれど］を挿入）

テクニック⑬　こちらの感情を前もって伝える

目標　副詞句などを文頭に挿入することによって、こちらの感情やムードを伝えることができるようになろう！

第一章のテクニック7でカバーした「副詞の挿入によっていい意味での先入観を持ってもらう」の応用編です。誤解の少ないコミュニケーションには、お互いの感情やムードを効果的に伝えることが不可欠。そのための武器で最も手軽なのが、この「文頭挿入」なのです。そもそも、コミュニケーションは情報交換にとどまらず、お互いの感情や思いを共有するためにこそあるはず。その意味で、前もってこちらの感情やムードを伝えるのはとても有効です。ぜひ活用してください。

手順はこれだけ！

Dan came home alive from Vietnam.

↓

伝えたい感情やムードによって、表現を選び、文頭に挿入する（この場合は、驚きを表す"to my surprise"）。

↓

To my surprise, Dan came home alive from Vietnam.

STEP 1　解答

1　I hate to tell you this, but you weren't selected for the university baseball team.
（言いたくはないんですが、大学の野球チームにあなたは選ばれませんでした）

2　I hate to ask you this again, but will you wait a little while for my share of the rent?
（またこんなことを頼みたくはないんだけど、家賃の私の持分、ちょっとのあいだ待ってくれない？）

3　I'm afraid it will rain tomorrow so we may need to put off the soccer game.
（残念ですが、明日は雨が降るだろうから、サッカーの試合を延期する必要があるかもしれないと思います）

4　As much as I like the film, there are still some things that I don't care for about it.
（その映画は本当に好きなんだけれど、それでも私の好みでないもの［部分］があります）

5 Your grandmother just passed away.
   (あなたのおばあさんが先程亡くなりました→ we are all saddened to hear［〜と聞き、我々一同悲しんでおります］を挿入)

STEP 2　こちらの感情を伝える表現を使って英作文をしてみよう！

1 悲しいことに私の猫がさっき死んだ。
　　　悲しいことに　sadly

2 あなたと Harry がついに結婚したことを知り、私たちはとてもうれしいです。
　　　〜を知りとてもうれしい　be very happy to know 〜　　結婚する　get married

3 その件についてのあなたの見方が私どもと根本的に異なるのは大変残念です。
　　　見方　view　　根本的に異なる　radically　　残念な　unfortunate

STEP 3　こちらの感情を伝える表現を使って、さっそくメールを書いてみよう！

本当のことを言うと、私はその男の名前を知りさえしないの。あなたは？
Syd

　　to tell you the truth　本当のことを言うと

意思に反して、ボクはキミと別れねばなりません。私の両親が言うには、カトリックでない女性とはともかく結婚できないのです。ごめんなさい。
Ray

　　against one's will　意思に反して

百万人の申込者の中からあなたが特賞に選ばれたことをお伝えでき、我々一同喜んでおります。世界中に多数ある我々のホテルのひとつに宿泊している間、あなたは最大 50％ の割引を得る資格をお持ちなのです！ 一両日中に電話でご連絡差し上げます。
おめでとうございます。
Blake Gee

　　be delighted　喜ばしく思う　　applicants　申込者　　award　賞
　　be qualified　〜の資格がある

5 We are all saddened to hear that your grandmother just passed away.
  （あなたのおばあさんが先程亡くなったと聞き、我々一同悲しんでおります）

STEP 2 解答

1 Sadly, my cat just died.
  (← My cat just died.)

2 We are very happy to know that you and Harry finally got married.
  (← You and Harry finally got married!)

3 It is unfortunate that your view of the incident seems to be radically different from ours.
  (← Your view of the incident seems to be radically different from ours.)

STEP 3 解答

> **To tell you the truth**, I don't even know that guy's name. Do you?
> Syd

> **Against my will**, I have to leave you. My parents told me that I just couldn't marry a girl who is not Catholic. Sorry.
> Ray

> **We are delighted** to inform you that you have been chosen from one million applicants for a special award. You are qualified to receive up to a 50% discount while staying in one of our many worldwide hotels! I will contact you by telephone in the next couple of days to provide more details about this exciting offer.
> Congratulations,
> Blake Gee

テクニック 14 引用符を活用する

Japan is an advanced country.
日本は先進国だ。

→ Japan is an "**advanced**" country.
　日本は「先進」国だ。

もとの文はココがイマイチ	→	このワザでこう解決！
1 「日本は先進国だ」という単純な描写にとどまっている。		an "advanced" country と引用符で「先進」を括ることによって、「一般的にはこう表現するので」「私自身はこの語法に賛成ではないんだが」などという含蓄が生まれる。

STEP 1 引用符を挿入して、ニュアンスの違いを確認しよう！

1　The world has been at peace.
　（世界は平和だ→ peace を括る）

2　We are living in a free world.
　（私たちは自由世界に住んでいる→ free を括る）

3　I used the euphemism, "vertically challenged," since it is politically correct.
　（私は "vertically challenged" という婉曲表現を使いました。それは政治的に正しい [差別的でない] ですから→ politically correct を括る）

4　America is promoting its War On Terrorism for justice.
　（アメリカは正義のために反テロ戦争を推進している→ War On Terrorism と justice を括る）

5　It is reported that innumerable packages were dropped in Afghanistan from the sky as humanitarian aid.
　（アフガニスタンでは人道支援のために無数の小包が空から投下されていると報告されている→ humanitarian aid を括る）

テクニック⑭ 引用符を活用する

目標 引用符を活用して、こちらの感情をにおわせることができるようになろう！

quotation mark（引用符）は、使い方一つでニュアンスを出せる便利な小道具です。もちろん基本的には「引用」のサインなのですが、そこから「あくまでも引用しているのであって私自身がこの表現を作り出したわけでも賛成しているわけでもない」という含みが出てくるのです。「こんな表現使いたくはないんだけど、皆さんこう言ってるから…」のようなかなり強い反発すらにおわせることができるのでご活用を！

手順はこれだけ！

Japan is an advanced country.

⬇

引用符で括る語（表現）を選択し、その表現が慣用句として使われる場合は表現全体を（STEP 1 の 3 参照）、そうでない場合は形容詞のみを括る。

⬇

Japan is an "advanced" country.

STEP 1 解答

1 The world has been at "peace."
（世界は「平和」だ）

2 We are living in a "free" world.
（私たちは「自由」世界に住んでいる）

3 I used the euphemism, "vertically challenged," since it is "politically correct."
（私は"vertically challenged"という婉曲表現を使いました。それは「政治的に正しい」ですから）

4 America is promoting its "War On Terrorism" for what it calls "justice."
（アメリカは「正義」と自らが呼ぶもののために「反テロ戦争」を推進している）

5 It is reported that innumerable packages were dropped in Afghanistan from the sky as "humanitarian aid."
（アフガニスタンでは「人道支援」のために無数の小包が空から投下されていると報告されている）

STEP 2 引用符を使って英作文をしてみよう！

1 「よりよい」教育のために私はこの大学に入りました。

2 テクノロジーは私たちに「繁栄」をもたらしましたが、私はその意味するところを知りません。

    繁栄　prosperity

3 日本とアメリカは、両国の力の不均衡にもかかわらず、「同盟国」である。

    力の不均衡　the imbalance of power
    〜にもかかわらず　despite　　同盟国　allies

STEP 3 引用符を使って、さっそくメールを書いてみよう！

Liz の言うことなんてまじめに受け取りすらしないことよ。彼女は、どんな意味かはさておき、「アーティスト」なの。
Pat

    take seriously　〜をまじめに受け取る

私がどうして哲学を専攻科目に選んだか聞いてるの？　あのね、正直な答えは、そうすれば「アカデミック」に見えるかなって思ったの。それだけ。
Sheila

    major　専攻科目

現在日本で起こっている「教育改革」について、私は相当懐疑的です。子供に小学校で英語を勉強させる目的は何なのですか？　彼らの母国語である日本語をよりしっかりと学ぶことの方がはるかに重要であり、優先されるべきです。金曜の昼食後にこの件を議論しましょう。
Colin

    educational reform　教育改革　　one's first language　〜の母国語
    priority　優先度、優先順位

STEP 2 解答

1 I entered this university for a "better" education.
   (← I entered this university for a better education.)

2 Technology brought us "prosperity," but I don't know exactly what that means.
   (← Technology brought us prosperity, but I don't know exactly what that means.)

3 Japan and America are "allies" despite the imbalance of power between them.
   (← Japan and America are allies, despite the imbalance of power between them.)

STEP 3 解答

> Don't even bother to take Liz seriously. She is an "**artist**," whatever that means.
> Pat

> So you're asking me why I chose philosophy for my major? Well, my honest answer is I thought it would make me look "**academic**." That's all.
> Sheila

> I am quite suspicious of "**educational reform**" going on in Japan now. What is the purpose of having kids study English in elementary school? Learning better Japanese, their first language, is much more important and should be given priority. Why don't we discuss this on Friday after lunch?
> Colin

Chapter 3
文をすっきりさせるワザ

テクニック 1 　無用な繰り返しを避ける

Stella gave Joel a fountain pen. She gave Peter a ballpoint pen.
Stella は Joel に万年筆をあげた。彼女は Peter にボールペンをあげた。

➡ Stella gave Joel a fountain pen, **and Peter a ballpoint pen**.
Stella は Joel に万年筆を、Peter にボールペンをあげた。

もとの文はココがイマイチ	このワザでこう解決！
1 「Stella があげた」ことが二つの文で繰り返され、くどい印象を与えている。	重複部分を削ることによって、二文が一文にすっきりとまとめられる。

STEP 1　繰り返し部分を削り、文の流れがよくなったか確かめよう！

1 Taro went to Paris on his graduation trip, while Tim went to Pakistan on his graduation trip.
（Taro は卒業旅行に Paris へ、一方 Tim は卒業旅行に Pakistan へ行った）

2 Our company made 90 million dollars last year, but it made only 70 million dollars this year.
（我が社は昨年 9000 万ドル稼いだが、今年はたった 7000 万ドルしか稼がなかった）

3 Everyone can express themselves in many ways without verbal language, and they actually do.
（誰もが言語なしに多数の方法で自己表現できるし、実際そうしている）

4 Terry knew a lot of interesting things, and he knew how to make funny stories out of them.
（Terry は面白いことをたくさん知っており、そして彼はどうやってそれらから面白い話を作り出すかを知っている）

5 The problem with Japanese people is that the optimists tend to be too optimistic while the pessimists tend to be too pessimistic.
（日本人の問題は、楽天主義者は楽天的過ぎる傾向があり、一方悲観主義者は悲観的過ぎる傾向があることだ）

テクニック① 無用な繰り返しを避ける

> **目標** 重複部を削って文をすっきりさせることができるようになろう！

「くどい人は嫌われる」と言われますが、くどい文も嫌われますからご注意を。中でも無用な繰り返しはくどさの横綱。読み手にとっては退屈さの元凶です。ぜい肉を取り除いて、すっきりした文が書けるようになりましょう！基本は、「一度言ったことで、省いても文意が通ると考えられること」を大胆に削ること。これに尽きます。

手順はこれだけ！

Stella gave Joel a fountain pen. She gave Peter a ballpoint pen.

⬇

重複部分を確認し、省く（この場合は「Stella があげた」ことが二文に繰り返し出てくる）。

⬇

Stella gave Joel a fountain pen, and Peter a ballpoint pen.

STEP 1 解答

1　Taro went to Paris on his graduation trip, while Tim went to Pakistan on his.
（Taro は卒業旅行に Paris へ、一方 Tim は Pakistan へ行った）

2　Our company made 90 million dollars last year, but only 70 million this year.
（我が社は昨年 9000 万ドル稼いだが、今年はたった 7000 万しか稼がなかった）

3　Everyone can, and actually does, express themselves in many ways without verbal language.
（誰もが言語なしに多数の方法で自己表現でき、実際している）

4　Terry knew a lot of interesting things and how to make funny stories out of them.
（Terry はたくさんの面白いこととそれらから面白い話を作り出す方法を知っている）

5　The problem with Japanese people is that the optimists tend to be too optimistic while the pessimists are too pessimistic.
（日本人の問題は、楽天主義者は楽天的過ぎる傾向があり、一方悲観主義者は悲観的過ぎるということだ）

STEP 2 繰り返し部分を削ることを頭において、英作文をしてみよう！

1 過ちを犯すのは子供の、許すのは大人の仕事だ。
　　過ちを犯す　make mistakes

2 この大きな窓から、毎日、私は人々が通り、車が走り過ぎていくのを見た。
　　走り過ぎる　drive by

3 調和は日本社会において最も大切な価値の一つであったし、今なおそうである。
　　調和　harmony
　　最も大切な価値　the most important value

STEP 3 繰り返し部分を削ることを頭において、さっそくメールを書いてみよう！

| 例のバンドのギタリストから言い寄られたとき、Meagan ときたら奴の目を見て「失せろ！」って言いやがった。すげえ女…
Frank |

　　look him in his eyes　目を見る　　Fuck off!「失せろ！」（卑俗表現）

| Dave
他人の大事なディスクを置き忘れるだけでも十分ひどいし、二度もやるのはもっとひどいわ。絶対もうしないで。
Stephanie |

　　misplace　置き忘れる

| 先週あなたと天草に行ったとき、美しい島々を見ていて江戸時代に迫害されたキリスト教徒たちのこと、そして自分自身の信仰を持つ権利を与えられた社会に生きていることの幸運を思い起こしました。あなたもこの気持ちを共有してくれるならうれしいのですが。
Joy |

　　remind　思い起こさせる、思い出させる　　persecute　迫害する

テクニック① 無用な繰り返しを避ける

STEP 2 解答

1 To make mistakes is a child's job; to forgive is an adult's.
   (← To make mistakes is a child's job; to forgive is an adult's job.)

2 Through this big window, every day I saw people walking and cars driving by.
   (← Through this big window, every day I saw people walking, and I saw cars driving by.)

3 Harmony has been, and still is, one of the most important values in Japanese society.
   (← Harmony has been one of the most important values in Japanese society, and it still is one of the most important values in Japanese society.)

STEP 3 解答

When hit on by the guitarist of the band, Meagan looked him in his eyes and said, "Fuck off!" What a girl...
Frank

Dave,
It is bad enough to misplace someone else's important disk, **and even worse to do it twice**. Never do that again.
Stephanie

When I went to Amakusa with you last week, the beautiful islands reminded me of the story about Christians persecuted in the Edo era, **and I felt that we are fortunate** to be living in a society where one is granted a right to have his or her own beliefs. I hope you share this feeling.
Sincerely,
Joy

テクニック 2 「同時」の with

Jack was walking. He had his hands in his pockets.
Jack は歩いていた。彼は手をポケットに入れていた。

→ Jack was walking **with his hands in his pockets**.
　Jack は手をポケットに入れて歩いていた。

	もとの文はココがイマイチ	→	このワザでこう解決！
1	「Jack は」「彼は」と主語が二回続いてまどろっこしい。		with を使って二文をつなげば、主語の無用な繰り返しを避けられてすっきりする。
2	「歩いていた」と「手をポケットに入れていた」の関係があいまい。		二つの動作が「同時」であることがはっきりする。

STEP 1　with を使って二文をつなぎ、流れがよくなったか確かめよう！

1　Don't speak. Your mouth is full.
　（しゃべるのはよしなさい。あなたの口は食べ物でいっぱいです）

2　Jill told me what had happened to her sister. Tears were in her eyes.
　（Jill は彼女の妹に起こったことを私に話した。彼女の目には涙が浮かんでいた）

3　Toby stared at me. He had a suspicious look on his face.
　（Toby は私を凝視した。彼の顔には疑っているような表情が浮かんでいた）

4　Jake stood. His back was against the wall.
　（Jake は立っていた。彼の背中は壁にもたれていた）

5　Night came on. I closed the store and headed home.
　（夜になってきた。私は店を閉めて家に向かった）

テクニック ② 「同時」の with

目標
with を使って、二つの文をすっきりと一つにまとめることができるようになろう！

　長すぎて複雑すぎる文は、「読みにくい」と敬遠されがち。でも、短ければいいというものでもありません。細切れで短すぎる文が続くと、かえって主語などの無用な繰り返しが増え、まどろっこしい印象を与えてしまうのです。この with は、それを打破する強い味方。なぜならば、with は「同時性」を表すので、この語の前後の二つの物事が同時進行しているニュアンスが必然的に出るからです。活用してください！

手順はこれだけ！

　Jack was walking. He had his hands in his pockets.
　⬇
　必要ならば二文目を be 動詞を含む文に置き換え、with の後ろに持ってくる。
　⬇
　Jack was walking with his hands were in his pockets.
　⬇
　be 動詞を省く。
　⬇
　Jack was walking with his hands in his pockets.

STEP 1　解答

1　Don't speak with your mouth full.
　（口を食べ物でいっぱいにしたまましゃべるのはよしなさい）

2　Jill told me what had happened to her sister with tears in her eyes.
　（Jill は目に涙を浮かべて、彼女の妹に起こったことを私に話した）

3　Toby stared at me with a suspicious look on his face.
　（疑っているような表情を顔に浮かべて、Toby は私を凝視した）

4　Jake stood with his back against the wall.
　（Jake は背中を壁にもたせかけて立っていた）

5　With night coming on, I closed the store and headed home.
　（夜になってきたので、私は店を閉めて家に向かった）

STEP 2 with を使って英作文をしてみよう！

1 母親がひどい心臓発作を起こし、Angela は狼狽した。
    ひどい心臓発作　a massive heart attack
    狼狽する　get freaked out

2 税金を支払う者が足りず、現在の社会保障システムは明らかに持続不能だ。
    社会保障システム　the social security system
    持続不能　unsustainable

3 売上が劇的に減少しており、我が社は倒産の淵にある。
    劇的に　dramatically
    倒産する　go bankrupt

STEP 3 with を使って、さっそくメールを書いてみよう！

> 今夜 Jennifer に会いに行ったら、目に涙を浮かべて怒鳴ってきやがった。一体何なんだ？
> Greg

    What's up with her?　「一体何なんだ？」という混乱の表現（不快感が入ることも）

> この六カ月で初めて両親に会いに行って来たところ。でも、親父ときたら手に持った新聞から目を上げもしないで「おかえり」以外何も言いやしない。オレに会えてうれしくないのか？
> Josh

> あなたの日本株式市場についての分析を読みました。全ての議論が事実によって裏づけられていてよくできているけれども、現実には良い徴候が一つも見られないにしては、結論がやや楽観的すぎると思います。今晩、これについて更に議論しましょうか？
> 電話下さい。
> David

    conclusion　結論　　recognize　認める、認識する　　in reality　現実に（は）

テクニック② 「同時」の with

STEP 2 解答

1 With her mother having a massive heart attack, Angela got freaked out.
   (← Angela got completely freaked out. Her mother was having a massive heart attack.)

2 With not enough people paying taxes, the present social security system is clearly unsustainable.
   (← There are not enough people paying taxes. So the present social security system is clearly unsustainable.)

3 With our sales dramatically decreasing, our company is on the verge of going bankrupt.
   (← Our sales are dramatically decreasing. So our company is on the verge of going bankrupt.)

STEP 3 解答

> Jennifer yelled at me **with tears in her eyes** when I went to see her tonight. What's up with her?
> Greg

> I just went home to visit my parents for the first time in six months. Dad didn't say anything but "Welcome home," **with his eyes on the newspaper in his hands**. Wasn't he happy to see me?
> Josh

> I reviewed your analysis of the Japanese stock market. It was well done, **with all your arguments well supported by facts**. But I think the conclusion sounds a little too optimistic considering the fact that no good signs have yet been recognized. Shall we discuss it further this evening? Call me,
> David

テクニック3 分詞を活用する

I saw Jean. He was sneaking out of his dorm.
私は Jean を見た。彼は寮から抜け出そうとしていた。

→ **I saw Jean sneaking** out of his dorm.
私は Jean が寮から抜け出そうしているのを見た。

	もとの文はココがイマイチ	→	このワザでこう解決！
1	あえて二文に分けて書くには記述の対象が単純すぎるため、短い二つの文の連続が稚拙な印象を与えがち。		分詞を使って一文にすっきりとまとめることによって、そのような印象を避けることができる。
2	文が二つに分かれているので「私が見た」ことと「Jean が抜け出そうとしていた」ことの関係があいまい。		分詞を使って一文にまとめてあるので、「Jean が抜け出そうとしているのを私が見た」ことがはっきりする。

STEP 1 分詞を使って二つの文を一つにつなぎ、流れのよさを確かめよう！

1 I heard someone. She was screaming somewhere near the dorm.
（私は誰かの声を聞いた。彼女は寮の近くで叫んでいた）

2 Look at the boy. He is staring at us from behind that yellow car.
（あの少年を見てごらん。彼はあの黄色い車の後ろから私たちを凝視しています）

3 I can't stand my computer. It acts up all the time.
（私は自分のコンピュータが我慢ならない。それはいつも調子が悪い）

4 We have to tolerate our bosses. They bark orders and have mood swings.
（私たちは上司に対して我慢せねばならない。彼らは命令を吐き散らし、気分をころころ変える）

5 I was totally confused with Simon. He changed opinions every minute.
（Simon には全く混乱させられた。彼は分刻みで意見を変えた）

テクニック ③ 分詞を活用する

> **目標** 分詞を活用して名詞をすっきりと膨らませられるようになろう！

　分詞は不定詞と並んで、英文法の飛車角。ここでは分詞の活用法を概観します。まずは、分詞はそもそも動詞であることを確認してください。例文の sneaking は動詞 sneak に ing がついたもの。だから分詞 sneaking はやっぱり「動作」なのです。そして、動作は必ず動作主を必要とします。その動作主こそが、分詞の前の名詞。ですから、名詞と分詞の間には、「主語・動詞」の関係が必ず存在します。これは、英文法の再重要論点のひとつ。分詞を制する者は英語を制します。

手順はこれだけ！

I saw Jean. He was sneaking out of his dorm.
⬇
重複する名詞を探し(例文は Jean と he)、関係代名詞で二文をつなぐ。
⬇
I saw Jean who was sneaking out of his dorm.
⬇
関係代名詞とそれに続く be 動詞を取り除く。
⬇
I saw Jean sneaking out of his dorm.

STEP 1　解答

1　I heard someone screaming somewhere near the dorm.
　（私は誰かが寮の近くで叫んでいるのを聞いた）

2　Look at the boy staring at us from behind that yellow car.
　（あの少年があの黄色い車の後ろから私たちを凝視しているのを見てごらん）

3　I can't stand my computer acting up all the time.
　（私は自分のコンピュータがいつも調子が悪いのが我慢ならない）

4　We have to tolerate our bosses' barking orders and mood swings.
　（私たちは上司が命令を吐き散らし気分をころころ変えるのに耐えねばならない）

5　I was totally confused with Simon changing opinions every minute.
　（Simon が分刻みで意見を変えるのには全く混乱させられた）

STEP 2 分詞を使って英作文をしてみよう！

1 私は心臓が速く打つのを感じた。
　　（心臓が）速く打つ　beat fast

2 Matt がゆうべ図書館で一所懸命勉強しているのを見た。

3 印刷産業のマーケットがとても速いペースで縮小しているのに我々は対処せざるをえない。
　　印刷産業　the printing industry
　　とても速いペースで　at a very fast pace　　縮小する　shrink

STEP 3 分詞を使ってさっそくメールを書いてみよう！

> ゆうべの真夜中過ぎに犬が外で吠えてるのを聞いたんだけど、聞いたことがあるような鳴き声だったな。あれ、あんたの？
> Stacy

　　sound familiar　聞き覚えがある

> Marc
> 今夜、道の反対を Carl が歩いてるのに気づいたのに、私はあいさつしなかったの。おかげで、私は自分が彼のことをそんなに好きじゃないんだと気づいた。
> Jody

> 状況がとても困難で時には手におえないことすらあることについて、あなたが不満を募らせておられるのは分かります。しかし、我々は最善を尽くしておりますし、うまくいけば三日以内に何らかの改善点が見られることでしょう。忍耐強く待ってくださってありがとうございます。
> Fumihiko Kodama

　　out of control　手におえない　　improvements　改善点
　　patience　忍耐強さ（"We appreciate your patience." は「あなたの忍耐強さに感謝します」から「忍耐強く待ってくださってありがとうございます」）

テクニック ③　分詞を活用する

文をすっきりさせるワザ

STEP 2　解答

1　I felt my heart beating fast.
　（← I felt my heart. It was beating fast.）
2　I saw Matt studying hard in the library last night.
　（← I saw Matt. He was studying hard in the library last night.）
3　We have to deal with the printing industry's market shrinking at a very fast pace.
　（← The printing industry's market is shrinking at a very fast pace. We have to deal with it.）

STEP 3　解答

I **heard a dog barking** outside past midnight last night. It sounded so familiar. Was it yours?
Stacy

Marc,
I **noticed Carl walking** on the other side of the street this evening, but I didn't say hi. It helped me realize that I just don't like him that much.
Jody

I understand that you are frustrated about **the situation being so difficult and even out of control** at times. However, we are doing our best, and you will hopefully see some improvements within three days. We appreciate your patience.
Sincerely,
Fumihiko Kodama

テクニック 4 分詞構文を活用する

Rocky didn't know what to say. He kept on rubbing Sera's back.
Rockyは何を言えばいいか分からなかった。彼はSeraの背中をさすり続けた。

→ **Not knowing what to say**, Rocky kept on rubbing Sera's back.
何を言えばいいか分からず、RockyはSeraの背中をさすり続けた。

もとの文はココがイマイチ	→	このワザでこう解決！
1 「何を言えばいいか分からなかった」ことと「Seraの背中をさすり続けた」ことの関連が見えない		分詞構文を使って一文にまとめることによって、「何を言えばいいか分からなかった」ことと「Seraの背中をさすり続けた」の同時性がはっきりする。

STEP 1 分詞構文を使って二文を一文につなぎ、流れのよさを確認しよう！

1 I hadn't heard from my mother in a month. I started to worry.
（一カ月の間、母から便りがない。私は心配し始めた）

2 Clarice was separated from her parents at the age of four. She doesn't know what it is like to be loved.
（Clariceは四歳で両親と別れた。彼女は愛されるのがどういうことか知らない）

3 We will go if the weather permits. We will go to Lake Biwa tomorrow as we planned.
（天気が許せば私たちは行きます。私たちは計画した通りに明日琵琶湖に行きます）

4 Arlo shook my hand. He said, "I'm so proud of you!"
（Arloは私と握手をした。彼は「お前をとても誇りに思う」と言った）

テクニック ④ 分詞構文を活用する

目標 分詞構文を使って、接続詞を使わずに二文をすっきりとつなぐことができるようになろう！

「分詞構文」と同じような日本語技術を、私たちは毎日使っています。その技術とは、「接続詞を使わずに二つの文をつなぐこと」です。例文の日本語訳「何を言えばいいか分からず、Rocky は Sera の背中をさすり続けた」にも、接続詞はありません。あえて接続詞を使って書き換えれば「何を言えばいいか分からなかった。そこで、Rocky は Sera の背中をさすり続けた」となります。分詞構文のポイントは接続関係をあいまいにできること。分詞構文は「A して、B した」と前後をあいまいにつなぐに過ぎず、「A したから B した」とも「A するために B した」とも「A したけれども B した」とも言っていません。そこは聞き手が自分で判断することになり、話し手の「責任」ではないというわけです。なお、接続関係を示したい場合には、「接続詞＋分詞構文」の形をとることもできます。（Step 1 の 4 など）

手順はこれだけ！

Rocky didn't know what to say. He kept on rubbing Sera's back.

⬇

共通の主語を見つける（この場合は Rocky と he）。
文頭に出る主語を取り去り、続く動詞を分詞形に直す。

⬇

Not knowing what to say, Rocky kept on rubbing Sera's back.

STEP 1　解答

1　Not having heard from my mother in a month, I started to worry.
（一カ月の間、母から便りがなく、私は心配し始めた）

2　Having been separated from her parents at the age of four, Clarice doesn't know what it is like to be loved.
（四歳で両親と別れ、Clarice は愛されるのがどういうことか知らない）

3　Weather permitting, we will go to Lake Biwa tomorrow as we planned.
（天気が許せば、私たちは計画した通りに明日琵琶湖に行きます）

4　While shaking my hand, Arlo said, "I'm so proud of you!"
（私と握手をしながら、Arlo は「お前をとても誇りに思う」と言った）

5 I was taking a walk with my dog along the river. I came up with a great idea for my graduation thesis.
（私は川に沿って犬を連れて散歩していた。卒業論文の素晴らしいアイデアが浮かんだ）

STEP 2　分詞構文を使って英作文をしてみよう！

1 それが私のせいだということは認めますが、それでもなお部分的にはあなたにも責任があると思います。
　　私のせい　my fault　　認める　admit
　　部分的には　partially

2 （それまでに）達成したことに気をよくし、Allen はリサーチを続けることに更に意欲を覚えていた。
　　達成したこと　accomplishment
　　意欲を覚える　be motivated

3 円が強いままなので、日本の輸出高は目に見えて減少している。
　　日本の輸出高　the amount of Japan's exports
　　目に見えて有意に　significantly

STEP 3　分詞構文を使って、さっそくメールを書いてみよう！

そのバンドのことを何一つ知らないまま、私はそのクラブに入ったの。彼らは素晴らしかったわ！
Tara

　　awesome　素晴らしい（口語）

Perry が、オレの肩を叩きながら、そのセレモニーのスピーチの準備をオレが手伝ったことにどれほど感謝してるか言って来たよ。あいつ、なかなかよくやったよな。オレもうれしいよ。おまえもあそこにいた？
Jack

よりよい顧客サービスとより安い価格の間で板ばさみになり、我が社は落としどころを素早く見つけねばなりません。添付されているのは参考資料です。金曜の会合の前に必ず通読しておいてください。
ありがとうございます。
Eric

　　be stuck　身動きが取れない、板ばさみになっている　　a happy medium　ほどよい中間点、落としどころ　　for your reference　あなたの参考のための

5 While taking a walk with my dog along the river, I came up with a great idea for my graduation thesis.
(川に沿って犬を連れて散歩している間に、卒業論文の素晴らしいアイデアが浮かんだ)

STEP 2 解答

1 Admitting that it may be my fault, I still think that you are also partially responsible.
(← I admit that it may be my fault, but I still think that you are also partially responsible.)

2 Feeling good about his accomplishment, Allen was motivated even more to continue his research.
(← Allen felt good about his accomplishment. He was motivated even more to continue his research.)

3 With the yen remaining strong, Japan's exports have been significantly decreasing.
(←The yen remains strong. Japan's exports have been significantly decreasing.)

STEP 3 解答

Not knowing anything about the band, I just walked into the club. They were awesome!
Tara

Patting me on the shoulder, Perry told me how thankful he was for me helping him prepare the speech he gave at the ceremony. He did a good job. I'm happy for him. Were you there?
Jack

Being stuck between improving customer service and lowering our prices, our company has to quickly find a happy medium. Attached is the data for your reference. Please be sure to read through it before the Friday meeting.
Thank you,
Eric

テクニック 5 It ①…時間の it

You take less than a minute to sign up!
あなたがサインアップするのには一分もかかりません。

➡ **It will take** you less than a minute to sign up!
　一分もかかりません、サインアップには。

もとの文はココがイマイチ	➡	このワザでこう解決！

1　You が主語なので、「あなたは一分もかからない」と対象を特定している印象を与えてしまう。／it が主語なので、「（誰がやっても）一分もかからない」という、より一般的な表現になる。主語にあたる名詞を特定したければ take の後に明示すればよい。

2　STEP 1 の 4 などのように、"it is usually too late" と主語を軽くして「普通手遅れだ」と言ってから「〜した時には（when 〜）」と続けると、流れがすっきりして読みやすくなる。

STEP 1　時間の it を使って文を書き換え、流れのよさを確認しよう！

1　Three months have passed since you left me.
　（あなたが私のもとを去ってから三カ月が経ちました）

2　Your business will pick up before long.
　（あなたのビジネスはほどなく軌道に乗るでしょう）

3　You don't realize how valuable your friends are until you lose them.
　（あなたは友達がいかに大切かを悟らない、彼らををなくすまで）

4　By the time everyone realizes there is something disastrous going on, it is usually too late.
　（何か悲惨なことが起こっていることを皆が悟る頃には、普通手遅れである）

5　When you start to become really afraid of death, you learn to appreciate life.
　（死を本当に恐れ始めたときに、あなたは生のありがたみを学ぶ）

テクニック 5　It ①…時間の it

目標　it を使って時間表現をすっきりできるようになろう！

ここからしばらくは it を特集します。覚えておくべきことはたったの一つだけ。それは「it は主語や補語を軽くして文の流れをすっきりさせる働きがある」ということです。まずは「時間の it」から。主語を it で軽くしておいてから時間表現へとつなぐ流れをしっかりと押さえて下さい。

手順はこれだけ！

You take less than a minute to sign up!

⬇

it を主語に据える（もとの主語［この場合は you］はとりあえず置いておく）。

⬇

It takes less than a minute to sign up!

⬇

必要に応じて時制を変え、もとの主語も明示する。

⬇

It will take you less than a minute to sign up!

STEP 1　解答

1　It has been three months since you left me.
　（三カ月になります、あなたが私のもとを去ってから）

2　It won't be long before your business picks up.
　（長くはかからないでしょう、あなたのビジネスが軌道に乗るのには）

3　It is not until you lose your friends that you realize how valuable they are.
　（友達をなくすまで、彼らがいかに大切かをあなたは悟らない）

4　It is usually too late when everyone realizes there is something disastrous going on.
　（普通手遅れである、何か悲惨なことが起こっていることを皆が悟ったときには）

5　It is when you start to become really afraid of death that you learn to appreciate life.
　（死を本当に恐れ始めたときだ、あなたが生のありがたみを学ぶのは）

STEP 2　時間の it を使って英作文をしてみよう！

1　不可能です、たった一、二カ月で英語をマスターするのは。

2　七年になります、私たちが独自ブランドの T シャツを売り始めてから。
　　　独自ブランドの T シャツ　one's own brand of T-shirts

3　体重が増えるまで、体調がいいことがいかに素晴らしいかあなたは分からない。
　　　体重が増える　gain weight
　　　体調［体型］がいい（ままである）　stay in shape

STEP 3　時間の it を使って、さっそくメールを書いてみよう！

> 長くはかからないわよ、物事が好転するまで。
> がんばって。
> Brett

　　Hang in there.（大変だろうけど）がんばって！

> 今晩、ミーティングに遅れてごめんなさい。思っていたより長くかかったんです、そこに着くのに。
> Mark

> 株式市場が暴落したときに、人々は今日の金融市場がいかに不安定かを悟るのよ。きっと、多くのエコノミストたちが X デーが忍び寄っていることを知っているわ。それを言うだけの度胸がないだけよ。私もこの問題についてどうしたらいいかわかんないけど。あなたは分かる？
> Jennifer

　　unstable　不安定な
　　today's financial market　今日の金融市場　　creep up　忍び寄る
　　have the nerve to do　〜するだけの度胸がある、図太い神経がある

テクニック 5 　It ①…時間の it

3 文をすっきりさせるワザ

STEP 2　解答

1　It's impossible to master English in a month or two.
　（← You cannot master English in a month or two.）

2　It has been seven years since we started selling our own brand of t-shirts.
　（← Seven years have passed since we started selling our own brand of t-shirts.）

3　It is not until you gain weight that you know how wonderful it is to stay in shape.
　（← You won't know how wonderful it is to stay in shape until you gain weight.）

STEP 3　解答

> **It won't be too long before** things start looking better.
> Hang in there,
> Brett

> Sorry I was late for the meeting this evening. **It took** me much longer than I had expected to get there.
> Mark

> **It is when** the stock market crashes that people realize how unstable today's financial market is. I'm sure many economists know the day of reckoning is creeping up. They just don't have the nerve to say it. I don't know what to do about it, either. Do you?
> Jennifer

123

テクニック 6 It ②…仮主語の it

To learn how to use a computer is difficult for me.
コンピュータの使い方を学ぶのは私にとって難しい。

➡ **It** is difficult for me **to learn** how to use a computer.
難しいです、私にとってコンピュータの使い方を学ぶのは。

もとの文はココがイマイチ	➡	このワザでこう解決！
1 主語 "to learn how to use a computer" がやや長いため、読み手の目が is に到達するまでに時間がかかってしまう。		it を仮主語にして "it is difficult" とすれば、「難しい」ことがすんなり読み手の頭に入り、「それでは何が難しいのか」とスムーズに読み進めることができる。

STEP 1 仮主語の it を使って文を書き換え、流れのよさを確認しよう！

1 To learn foreign languages is not easy for anyone.
  （外国語を学ぶのは誰にとってもやさしくはない）

2 To tell that woman such a dirty joke was thoughtless of you.
  （お前があの女性にあんなにひどい下ネタを言ったのはとても不注意だった）

3 That terrorism won't stop easily is certain.
  （テロリズムが簡単に止まないことは確かだ）

4 Whether or not we should quit this job soon has become something that we obviously should think about.
  （まもなくこの仕事を辞めるべきか否かは、明らかに我々が考えねばならない問題となった）

5 Whether or not bad loans are the biggest cause of Japan's current economic recession is arguable.
  （不良債権が日本の現在の経済不況の最も大きな原因であるか否かは、議論の余地がある）

テクニック 6　It ②…仮主語の it

> **目標**　仮主語の it を使って主語を軽くすることができるようになろう！

　英語という言語は、主語や動詞をはじめとして、最も大切なことから順に並べていく傾向があります。同時に、長すぎる主語を嫌う傾向があります。主語が重たいと動詞が出てくるまでに時間がかかりすぎ、分かりづらい文になってしまうからです。そこで仮主語 it の出番。上の例文であれば、it を主語に出すことで「難しいですよ」とまず言ってから、「何が難しいかと言うと…」と自然に続けられるようになっています。つまり、これはある種の倒置なのです。込み入った文を書くときには欠かせません。

手順はこれだけ！

To learn how to use a computer is difficult for me.
⬇
it を主語にし、be 動詞と形容詞句を後に続ける。
⬇
It is difficult for me.
⬇
不定詞句や that 節などを後にくっつける。
⬇
It is difficult for me to learn how to use a computer.

STEP 1　解答

1　It is not easy for anyone to learn foreign languages.
　（誰にとってもやさしくはない、外国語を学ぶのは）

2　It was thoughtless of you to tell that woman such a dirty joke.
　（とても不注意だった、お前があの女性にあんなにひどい下ネタを言ったのは）

3　It is certain that terrorism won't end easily.
　（確かだ、テロリズムが簡単に止まないのは）

4　It has become obvious that we should seriously think about whether or not we should quit this job soon.
　（明らかになった、この仕事をまもなく辞めるべきか否かを我々がまじめに考えるべきであることが）

5　It is arguable whether or not bad loans are the biggest cause of Japan's current economic recession.
　（議論の余地がある、不良債権が日本の現在の経済不況の最も大きな原因であるか否かは）

STEP 2 仮主語の it を使って英作文をしてみよう！

1 しばしば言われる、アメリカは巨大な人種のるつぼだと。
　　巨大な人種のるつぼ　a huge melting pot

2 いくらかかりましたか、ヨーロッパを旅してまわるのに？
　　ヨーロッパを旅してまわる　travel around Europe

3 驚くべきことです、あれほど多くのスタープレーヤーを抱えながら読売ジャイアンツが今年優勝できなかったことは。
　　驚くべき　surprising
　　優勝する　win the championship

STEP 3 仮主語の it を使って、さっそくメールを書いてみよう！

絶対に必要だと思います、あなたのお父さんが今すぐ病院に行くことが。どうか彼にそうするように強く促してください。
Jackie

　　absolutely necessary　絶対に必要な　　right away　今すぐ　　urge　強く促す

人間が世界の支配者だという態度は我慢なりません。我々が遺伝子的にいえばサルとそれほど違わないことは広く知られています。ああいう態度の人々は、それすら知らないほど無知なんでしょうね。いらいらします。
Carlos

　　attitude　態度　　the rulers of the world　世界の支配者（たち）　　ignorant　無知な

何人かの韓国人が日本の首相の靖国参拝に反対して指を切り落としたと報告されています。あなたはそれを狂気の沙汰だと考えますか、それともそうすることに何らかの妥当性を見出しますか？
Koji

　　chop one's fingers off　指を切り落とす　　protest　異議申し立て
　　pay homage to the dead at Yasukuni shrine　靖国参拝をする
　　an act of insanity　狂気の沙汰　　a valid point　妥当な点、妥当性を見出しうる点

テクニック 6　It ②…仮主語の it

STEP 2　解答

1 It is often said that America is a huge melting pot.
   (← People often say that America is a huge melting pot.)

2 How much did it cost you to travel around Europe?
   (← How much did travelling around Europe cost you?)

3 It is surprising that the Yomiuri Giants couldn't win the championship this year with so many star players on the team.
   (← That the Yomiuri Giants couldn't win the championship this year with so many star players on the team is surprising.)

STEP 3　解答

I'm afraid **it** is absolutely necessary for your father **to go see** a doctor right away. Please urge him to do so.
Sincerely,
Jackie

I can't stand the attitude that humans are the rulers of the world. **It** is widely known **that**, genetically speaking, we are not very different from monkeys. I guess people in power are willfully ignorant about it. How frustrating...
Carlos

It is reported **that** some Koreans chopped their fingers off in protest against Japan's Prime Minister paying homage to the dead at Yasukuni shrine. Do you consider it an act of insanity, or do you see any valid point in such a protest?
Koji

3　文をすっきりさせるワザ

テクニック7 It ③…仮補語の it

To take a long bath is relaxing.
長風呂に入るとくつろげる。

→ I found **it** relaxing **to take** a long bath.
　長風呂に入るとくつろげると分かった。

	もとの文はココがイマイチ　→	このワザでこう解決！
1	「長風呂に入るとくつろげる」という一般的な話に過ぎない。	仮補語の it を使って "I found it relaxing to ～" とすれば、「長風呂に入るとくつろげると私が分かった」ことが無理なく伝わる。
2	仮補語の it を使わずに "I found to take a long bath relaxing." とすると、補語 "to take a long bath" が長すぎて読みづらい。	仮補語の it によって読みづらさが格段に軽減される。

STEP 1 仮補語 it を使って文を書き換えよう！

1 To follow your argument is rather difficult.
(あなた方の議論についていくのはかなり困難です→「I find」を加えて「かなり困難だと思います、あなた方の議論についていくのは」に)

2 To finish up the paper within a week is impossible.
(そのレポートを一週間以内で仕上げるのは不可能です→ I found を加えて「不可能だと分かりました、そのレポートを一週間以内で仕上げるのは」に)

3 For humanity to realize sustainable development is very possible.
(人類が持続可能な発展を実現することは大いに可能だ→「I believe」を加えて「大いに可能だと個人的には信じます、人類が持続可能な発展を実現することは」に)

4 That everyone will kindly help you when you are in trouble is not to be taken for granted.
(あなたが困っているときに皆が親切に助けてくれることは当然視されるべきではない→「take for granted」を文頭に出して「当然視してはいけない、あなたが困っているときに皆が親切に助けてくれると」に)

テクニック 7　It ③…仮補語の it

目標 仮補語の it を使って補語を軽くすることができるようになろう！

　仮補語の it は基本的に仮主語の it と同じ。違いは主語ではなくて補語の代わりになることだけです。両者を見比べて、この仮補語の it が仮主語の場合と原則的に同じであることを確認してください。以下の実例を見ればお分かりになるように、仮補語の it を含む文は、それなしでは補語が重すぎて非常に読みづらくなる傾向があります。だからこそ、このテクニックがとても重要になるのです。

手順はこれだけ！

To take a long bath was relaxing.

⬇

考えたり感じたり、働きかけたりする主体を定める。
(1) I found
(2) It was relaxing to take a long bath.

⬇

(2) から be 動詞を取り除いて (1) の後ろにつける。

⬇

I found it relaxing to take a long bath.

STEP 1　解答

1　I find it rather difficult to follow your argument.
（かなり困難だと思います、あなた方の議論についていくのは）

2　I found it impossible to finish the paper within a week.
（不可能だと分かりました、そのレポートを一週間以内で仕上げるのは）

3　I personally believe it very possible for humanity to realize sustainable development.
（大いに可能だと個人的には信じます、人類が持続可能な発展を実現することは）

4　Don't take it for granted that everyone will kindly help you when you are in trouble.
（当然視してはいけない、あなたが困っているときに皆が親切に助けてくれると）

5 That Bobby had such a casual relationship with his grandmother was amazing.
（Bobby が彼の祖母とこれほどくだけた関係であることは驚くべきことだった
→ Ellen thought を加えて「驚くべきことだと Ellen は思った、Bobby が彼の祖母とこれほどカジュアルな関係であるのは」に）

STEP 2　仮補語の it を使って英作文をしてみよう！

1　秘密にしてください、Donald が彼の父のお金を盗んだことは。
　　盗む　steal　　秘密　secret

2　私は感じています、我々の製品価格を少なくとも 30％下げることが必要だと。
　　我々の製品価格　the price of our products

3　驚きだと Seth は思っている、中国が世界経済の主要なプレーヤーの一人と急速になりつつあることは。
　　主要なプレーヤー（の一人）　a major player　　急速に　rapidly

STEP 3　仮補語の it を使って、さっそくメールを書いてみよう！

とにかく来て、私たちのクラスを見てください。楽しくて簡単だと分かるはずです、私たちのやり方で英語を勉強するのが。
Jeff

残念に思っています、プロ野球選手になるという夢を、一所懸命トライする前に Ricky が諦めてしまったのを。正直に言って、彼に対する尊敬の念を失いました。
Daniel

私は相当がっかりしています、あなたが我々の最終オファーにご満足いただけなかったようであることに。双方がお互いの要求を満たせなくて残念です。しかしながら、我々はほどなくまたの機会がやってくることを確信しております。
Scotty Jordan

　　disappointing　残念な、失望させられる　　meet each other's demands　お互いの要求を満たす　　confident　確信している、自信がある

5 Ellen thought it amazing that Bobby had such a casual relationship with his grandmother.
   (驚くべきことだと Ellen は思った、Bobby が彼の祖母とこれほどくだけた関係であることは)

STEP 2 解答

1 Please keep it a secret that Donald stole his father's money.
   (← The fact that Donald stole his father's money is a secret.)

2 I feel it necessary for us to lower the price of our products by at least 30%.
   (← For us to lower the price of our products by at least 30% is necessary.)

3 Seth finds it surprising that China is rapidly becoming a major player in the global economy.
   (That China is rapidly becoming a major player in the global economy is surprising.)

STEP 3 解答

Just come and check out our class. You will find **it** fun and easy **to study** English our way.
Jeff

I think **it** a pity **that** Ricky gave up on his dream of becoming a professional baseball player before he even started really trying. To be honest with you, I've lost respect for him.
Daniel

I find **it** rather disappointing **that** you don't seem satisfied with our last offer. It is unfortunate that we were unable to meet each other's demands. However, I am confident that another opportunity will come before long.
Sincerely,
Scotty Jordan

テクニック 8　疑問詞 + 不定詞

I didn't know what I should do.
私は何をすべきかわからなかった。

➡ I didn't know **what to do**.
わたしはどうしていいか分からなかった。

もとの文はココがイマイチ	➡	このワザでこう解決！
1　短い一文の中に主語 (I) が二回出てきてまどろっこしい印象を与えてしまう。		"what I should do" を "what to do" とすることによって I が一つ削られ、主語の重複を避ける。

STEP 1　「疑問詞＋不定詞」を使って文を書き換えよう！

1　Will you tell me who I should talk to?
（私が誰に話すべきか教えてくれませんか？）

2　It seems that human civilization doesn't know where it should go.
（どこに行くべきか、人間文明は分からないようだ）

3　My dad bought a brand-new computer, but he doesn't even know how he should open the box!
（父さんが新しいコンピュータを買ってきたが、彼はどうやって箱を開けるべきかも分からない）

4　I was so excited when Michael Jackson came up and talked to me on the street that I didn't know what I should say.
（道で Michael Jackson が私に近づいてきて話し掛けたとき、私はあまりに興奮して何を言うべきか分からなかった）

5　Will you tell me who I should consult with on this issue in preparation for the board of directors' meeting?
（取締役会の準備のためにその問題について誰に相談すべきか教えてくれませんか？）

テクニック 8　疑問詞＋不定詞

> **目標**　「疑問詞＋不定詞」を使ってすっきりした疑問詞句を作れるようになろう！

　この章のはじめに、無駄な重複を避けるのがすっきりした作文の基本だと言いました。その最も簡単かつ有効な方法は、重複する主語を削ること。そして、そのための手段の一つがこの項の「疑問詞＋不定詞」というテクニックです。実例を参照しながら、「疑問詞＋不定詞」によって必ず主語が一つ取り除かれ、文がすっきりすることを確認してください。

手順はこれだけ！

I didn't know what I should do.

⬇

疑問詞（この場合は what）節の主語を取り去り、疑問詞節の動詞を to 不定詞形に変える。

⬇

I didn't know what to do.

STEP 1　解答

1　Will you tell me who to talk to?
（誰に話すべきか私に教えてくれませんか？）

2　It seems that human civilization doesn't know where to go.
（どこに行くべきか、人間文明は分からないようだ）

3　My dad bought a brand new computer, but he doesn't even know how to open the box!
（父さんが新しいコンピュータを買ってきたが、彼はどうやって箱を開けるべきかも分からない）

4　I was so excited when Michael Jackson came up and talked to me on the street that I didn't know what to say.
（道で Michael Jackson が私に近づいてきて話し掛けたとき、私はあまりに興奮して何を言うべきか分からなかった）

5　Will you tell me who to consult with on this issue in preparation for the board of directors' meeting?
（取締役会の準備のためにその問題について誰に相談すべきか教えてくれませんか？）

STEP 2　「疑問詞＋不定詞」を使って英作文をしてみよう！

1　人々は、自分のお金をどう賢く使うかを知らない。
　　　賢く　wisely

2　子供に何を教えるかはもちろん重要だが、どうやってそれを教えるかはもっと重要だ。

3　相手と私には、取引をいつ始めるかに関して若干の不合意がある。
　　　（仕事の）相手　one's counterpart
　　　取引　transaction
　　　若干の不合意　a slight disagreement

STEP 3　「疑問詞＋不定詞」を使って、さっそくメールを書いてみよう！

> ボクのフランス語の教科書、喜んで貸すよ。キミの寮にいつ届ければいいか教えて。
> Jim

　　　drop off　（「落とす」という原義から）届ける

> Bonny は赤ん坊なの。彼女は自分の下着をどこで買えばいいかも分からないんだから。彼女をわざわざ助けようなんてしないことよ、分かった？
> Kara

> 主として我々自身の現代的ライフスタイルによって引き起こされている自然環境の破壊をいかにして防止するか、誰も本当には分かりません。しかしながら、手遅れになる前に何らかの手段を講じなければならないことには誰もが気づき始めています。我々の勉強会は毎週この問題を議論するために形成されました。興味がありましたら、573-2938 の Andy までご連絡ください。
> 敬具
> Sherry Kasdan

　　　damaging the natural environment　自然環境の破壊
　　　primarily　主として　　　on a weekly basis　毎週、週単位で

テクニック 8　疑問詞 + 不定詞

STEP 2　解答

1　People don't know **how to use** money wisely.
　(← People don't know ways to use money wisely.)

2　**What to teach** children is important, of course, but **how to do it** is even more important.
　(← What we should teach children is important, of course, but how we should do it is even more important.)

3　My counterpart and I are having a slight disagreement regarding **when to start** our transaction.
　(← My counterpart and I are having a slight disagreement regarding when we should start our transaction.)

STEP 3　解答

I'm more than happy to let you borrow my French textbook. Just tell me **when to drop it off** at your dorm.
Jim

Bonny is a baby. She doesn't even know **where to buy** her own underwear. Don't even bother to help her, OK?
Kara

Nobody knows exactly **how to prevent** damaging the natural environment, which is caused primarily by our modern lifestyle. However, everybody has started to realize that we must take some measures before it's too late. Our study group was formed to discuss this issue on a weekly basis. If you are interested, contact Andy at 573-2938.
Sincerely,
Sherry Kasdan

テクニック9 名詞と動詞・形容詞の互換

I was careless, and Ted got upset about it.
私は不注意で、Ted はそれについて怒った。

→ Ted got upset about **my carelessness**.
　Ted は私の不注意さに怒った。

もとの文はココがイマイチ	→	このワザでこう解決！
1 悪文ではないが、careless と it が大きく重複しているのでそこをすっきりさせたい。		形容詞 careless を名詞句 my carelessness に変換して it と置き換えることによって、すっきりとまとめることができる。

STEP 1 名詞と動詞・形容詞を互換して、文の流れがよくなったか確認しよう！

1　John is very honest, and I like him for it.
　　(John はとても正直で、私が彼を好きなのはそのせいだ→「私は John を好きなのは彼の正直さのせいだ」へ)

2　Jake is exceptionally kind, and I appreciate it.
　　(Jake は例外的なほど親切で、私はそれをありがたく思っている→「私は Jake の例外的な親切さをありがたく思っている」へ)

3　You are lazy, and that's why you failed the exam.
　　(お前は怠けていて、だからその試験に落ちた→「お前がその試験に落ちたのは怠け癖のせいだ」へ)

4　The world economy is extremely unstable, and I'm very concerned about it.
　　(世界経済はとても不安定で、私はそれをとても懸念している→「私は世界経済の極度の不安定さをとても懸念している」へ)

テクニック⑨ 名詞と動詞・形容詞の互換

目標 名詞と動詞・形容詞の互換によって、意味上の重複部をすっきりとまとめることができるようになろう！

高等なテクニックを。"I was careless, and Ted got upset about it." には、あからさまな重複があるわけではありません。しかし、it が「私が careless であったこと」を受けていますので、it と形容詞 careless は大きく重なっています。そこで、careless をちょっといじって my carelessness という名詞句にすれば、"Ted got upset about my carelessness." とすっきりまとめることができます。英語と日本語は構造が大きく異なるので、この「名詞⇔動詞・形容詞」の互換を頭に置いておくと、逐語訳が難しい翻訳のときにも重宝します。

手順はこれだけ！

I was careless, and Ted got upset about it.

⬇

形容詞 careless と it の意味内容が重複しているので、careless を carelessness と名詞化してまとめる。

⬇

Ted got upset about my carelessness.（他のパターンについては、STEP 1 の 3 など参照）

STEP 1 解答

1 I like John for his honesty.
（私は John を好きなのは正直さのせいだ）

2 I appreciate Jake's exceptional kindness.
（私は Jake の例外的な親切さをありがたく思っている）

3 You failed the exam because of your laziness.
（お前がその試験に落ちたのは怠け癖のせいだ）

4 I'm very concerned about the extreme instability of the world economy.
（私は世界経済の極度の不安定さをとても懸念している）

5 Rick was very kind to my mother when she came to visit us, and she was pleasantly surprised.
（Rick は私の母が私たちを訪れたとき彼女に対してとても親切で、彼女はいい意味で驚いていた→「私の母が私たちを訪れたとき、Rick の親切さに彼女はいい意味で驚いていた」へ）

STEP 2　名詞と動詞・形容詞の互換を頭において、英作文をしてみよう！

1　彼女の知性のせいで、私は自分のガールフレンドに対して劣等感を感じている。
　　知性　intelligence　　劣等感を感じる　feel inferior

2　私が Charlie に感嘆するのは他人の過ちに対処する際の彼の寛大ぶりのせいだ。
　　感嘆する　admire　　〜に対処する　deal with 〜
　　寛大ぶり　generosity

3　実際に実行に移す前に、我々はその計画の実行可能性について議論すべきだ。
　　実行に移す　carry out
　　実行可能性　feasibility

STEP 3　名詞と動詞・形容詞の互換を頭において、さっそくメールを書いてみよう！

ボクが Eva を尊敬するのは彼女の勤勉さのせいです。ボクも彼女のようになれたらいいんだけど…
Harry

　　diligence　勤勉さ

Nick と映画を見に行くと、いつも彼の観察眼の鋭さに驚かされるの。私がほんのわずかな注意も向けないようなことまで、いろいろ把握してるんだから。今度一緒においで。そしたら分かるから。
Paula

　　perceptiveness　観察眼の鋭さ
　　turn the slightest attention　ほんのわずかな注意を向ける

テクニック 9　名詞と動詞・形容詞の互換

5 My mother was pleasantly surprised at Rick's kindness toward her when she came to visit us.
（私の母が私たちを訪れたとき、Rick の親切さに彼女はいい意味で驚いていた）

STEP 2　解答

1 I feel inferior to my girlfriend because of her intelligence.
（← My girlfriend is very intelligent, and I feel inferior because of it.）

2 I admire Charlie for his generosity when dealing with other people's mistakes.
（← Charlie is generous when dealing with other people's mistakes, and I admire him for that.）

3 We should discuss the project's feasibility before we actually attempt to carry it out.
（← We should discuss whether or not the project is feasible before we actually attempt to carry it out.）

STEP 3　解答

I respect Eva for **her diligence**. I wish I could be like her…
Harry

When I go see a film with Nick, I'm always amazed at **his perceptiveness**. He catches so many things that I don't even turn the slightest attention to. Come with us next time, and you will see.
Paula

> Sophia
> あなたの質問に関してですが、いわゆる日本経済システムの複雑さはあなたのような外国人にとって理解するのが難しく見えるだろうということは認めねばなりません。しかしながら、あなたが日本文化を学ぶにつれて、それはより意味をなすようになるでしょう。ですから、私のアドバイスは、日本にいる間、性急な結論に飛びつかずに目と心を開いておくことです。楽しんでくださいね。
> 敬具
> Osamu

  regarding　〜に関して
  the so-called complexity of the Japanese economic system　いわゆる日本経済システムの複雑さ
  make sense　意味をなす、道理をなす
  jump to a quick conclusion　性急な結論に飛びつく

Dear Sophia,

Regarding your question, I must admit **that the so-called complexity of the Japanese economic system** may seem hard for a foreigner like you to understand. However, it will come to make more sense as you learn more about Japanese culture. So, my advice is not to jump to a quick conclusion and keep your eyes and mind open during your stay in Japan. Enjoy!

Sincerely,

Osamu

テクニック10 受動態と能動態

Ken says that Mr. Dean is alcoholic.
Kenが言うには、Deanさんはアルコール中毒だ。

➡ **It is said that Mr. Dean is alcoholic.**
　　Deanさんはアルコール中毒だと言われている。

もとの文はココがイマイチ ➡	このワザでこう解決！
1 「Deanさんはアルコール中毒である」というプライバシーにかかわることをKenがしゃべっていることにになり、ともすればKenが無神経な人物であるという印象を与える	itを主語に「～と言われている」としているので、誰がそう言っているかをぼかすことができる。

STEP 1 受動態に直して、ニュアンスの違いを確かめよう！

1 The receptionist told me to wait here.
　（その受付係が私にここで待つように言った→「私はここで待つように言われた」に）

2 The driver killed Kevin in the traffic accident.
　（その運転手がKevinを交通事故で殺した→「Kevinは交通事故で死んだ(殺された)」に）

3 We will serve tea or coffee after the meal.
　（我々は食事の後にお茶かコーヒーを出します→「食事の後にお茶かコーヒーが出ます」に）

4 My son broke the front door of my house.
　（私の息子が我が家の玄関のドアを壊した→「我が家の玄関のドアは壊れている」に）

5 The superior officer ordered the soldier to go forward and fight to the death in the battle.
　（上官がその兵士に前進し、戦闘の中で死ぬまで闘うように命じた→「その兵士は、前進し、戦闘の中で死ぬまで闘うように命じられた」に）

テクニック⑩　受動態と能動態

> **目標** 受動態を使って、角が立たない物言いをできるようになろう！

　言いにくいことを言うときには、相応の配慮が必要です。英語で語る場合にはいくつかのテクニックがありますが、最も手っ取り早く、しかも効果的なのが、この「受動態を使う」というもの。相手に伝えにくい状況について「〇〇さんが言った」「△△さんがした」と言ってしまうと、どうしても〇〇さんや△△さんが矢面に立たざるを得ないことになりがち。そこで、動詞部分を受動態にして「〜された」とします。そうすれば、〇〇さんや△△さんが主語でなくなり、彼らを責めるようなニュアンスはなくなるわけです。

手順はこれだけ！

Ken says that Mr. Dean is alcoholic.

⬇

動詞 say を受動態の be said に替える。

⬇

それにふさわしい主語を探す。この場合は it。

⬇

It is said that Mr. Dean is alcoholic.

STEP 1　解答

1　I was told to wait here.
（私はここで待つように言われた）

2　Kevin was killed in the traffic accident.
（Kevin は交通事故で死んだ（殺された））

3　Tea or coffee will be served after the meal.
（食事の後にお茶かコーヒーが出ます）

4　The front door of my house is broken.
（我が家の玄関のドアは壊れている）

5　The soldier was ordered to go forward and fight to the death in the battle.
（その兵士は、前進し、戦闘の中で死ぬまで闘うように命じられた）

STEP 2　受動態を使って、英作文をしてみよう！

1　社会は誰ひとり本当には自由でないように構造化されている。
　　　構造化する　structure

2　思っていることを口に出すことは必ずしも賢くないと考えられている。
　　　思っていることを口に出す　speak one's mind

3　私は間違って知らされ、そのせいでその会合に遅れた。
　　　知らせる　inform

STEP 3　受動態を使って、さっそくメールを書いてみよう！

> Jane、本当にこんなことは言いたくないのですが、あなたが自分の担当分を終わらせるのを我々全員が待っているのだということを、あなたに理解してもらう必要があります。このプロジェクトの何もかもが来たる金曜日までに仕上げられるよう念入りに計画されており、先延ばしにすることは絶対にできません。我々が長く待てば待つほど、それを実現する可能性がそれだけ低くなります。進捗具合を教えてくれませんか？
> Ted

　　　put off　先延ばしにする

テクニック⑩ 受動態と能動態

STEP 2 解答

1 Society is structured in such a way that nobody is truly free.
 (← The government structures society in such a way that nobody is truly free.)

2 It is considered that speaking your mind is not always wise.
 (← I think that speaking your mind is not always wise.)

3 I was informed incorrectly, for which I was late for the meeting.
 (← He informed incorrectly, for which I was late for the meeting.)

STEP 3 解答

Jane, I really hate to say this, but we need you to realize that we are all waiting for you to get your part done. Everything with this project **is** carefully **planned** to get finished by this coming Friday and there is no way to put it off. The longer we wait, the less likely it becomes for us to make it. Will you let us know how it's going?
Ted

文をすっきりさせるワザ

Chapter 4
メリハリをつけるワザ

テクニック 1 コンマ

There was potato salad and vegetable soup and grilled chicken.
ポテトサラダと野菜スープと鶏のあぶり焼きがあった。

➡ There was potato salad, vegetable soup and grilled chicken.
ポテトサラダ、野菜スープ、そして鶏のあぶり焼きがあった。

もとの文はココがイマイチ	➡	このワザでこう解決！
1 「ポテトサラダと野菜スープと鶏のあぶり焼き」と三つの名詞が続けざまに並び、読みにくい印象を与える。		コンマを挿入することによって、列挙された名詞が整然とする。

STEP 1 適切な場所にコンマを挿入してメリハリのよさを確認しよう！（コンマ抜きの例文は、文法的に正しくないと判断されるものも含まれています。比較の対象として参照して下さい）

1 Sooner or later the value of yen will drop.
（遅かれ早かれ円の価値は下落します）

2 Next spring no matter what comes up I will go to Europe.
（次の春には何があろうと私はヨーロッパに行きます）

3 The lady who came to speak to us is Ms. Ryan my father's boss.
（私たちのところに来て話し掛けたその女性は私の父の上司 Ryan さんです）

4 After graduation even if my parents try to stop me I will leave town and go up to Tokyo for work.
（卒業後もし両親が止めようとしても私はこの町を出て東京に働きに出る）

5 "Admitting that China is a primary cause of today's deflationary pressure" Jonathan said "there still are so many things Japan can do to get out of its recession."
（「中国が今日のデフレ圧力の主要因だとしても」と Jonathan は言った。「不況から脱するために日本ができることは多数ある」）

テクニック 1　コンマ

> **目標**　コンマを挿入して文をメリハリよく区切れるようになろう！

コンマは日本語の「読点」にあたり、メリハリがあって読みやすい文に不可欠の存在です。いわば、この章の基本中の基本。厳密なルールがあるわけではないですが、一定の規則性があります。それを学び取ってください。

手順はこれだけ！

There was potato salad and vegetable soup and grilled chicken.

⬇

列挙されている名詞（この場合）や、挿入部などの意味上はっきりと区切れる句（STEP 1 の 1、2 など参照）、あるいは同格の名詞（STEP 1 の 3 など参照）の前後にコンマを挿入する。

⬇

potato salad と vegetable soup と grilled chicken が列挙されているのでコンマの挿入が適切。

⬇

There was potato salad, vegetable soup and grilled chicken.

STEP 1　解答

1　Sooner or later, the value of the yen will drop.
（遅かれ早かれ、円の価値は下落します）

2　Next spring, no matter what happens, I will go to Europe.
（次の春には、何があろうと、私はヨーロッパに行きます）

3　The lady who came to speak to us is Ms. Ryan, my father's boss.
（私たちのところに来て話し掛けたその女性は Ryan さん、私の父の上司です）

4　After graduation, even if my parents try to stop me, I will leave town and go to Tokyo for work.
（卒業後、もし両親が止めようとしても、私はこの町を出て東京に働きに出る）

5　"Admitting that China is a primary cause of today's deflationary pressure," Jonathan said, "there still are so many things Japan can do to get out of its recession."
（「中国が今日のデフレ圧力の主要因だとしても」と Jonathan は言った。「不況から脱するために日本ができることは多数ある」）

STEP 2 コンマを使って英作文をしてみよう！

1 Donnie は渋滞に捕まったと言ったが、私はそれがウソだと知っていた。
　　渋滞　a traffic jam

2 私たちの学校の正門の近くに掲げられている旗は日の丸、すなわち日本の国旗です。
　　正門　the front gate　　掲げる　hoist　　日本の国旗　Japan's national flag

3 「しかしながら」と私は言った。「私は、それでも日本は憲法を改正すべきでないと思う」
　　憲法　the Constitution　　改正する　amend

STEP 3 コンマを使って、さっそくメールを書いてみよう！

> Corky が他の人たちに会い始めたけど、ボクはそれはいい兆候だと思う。Brad と別れてから彼女があんまり落ち込んでたんで、実は心配し始めたところだったよ。
> Anthony

a good sign　いい兆候　　depressed　落ち込んで

> ボクの正直な意見を聞きたいのなら言うけど、キミのレポートはあんまり独創的じゃないと思う。ボクのについても正直なフィードバックを頼むよ。ありがと。
> Marc

one's honest opinion　正直な意見　　paper　レポート

> 次のクラスでは、皆さんも知っているようにこのところ集中砲火にさらされている日本の警察機関について議論します。第 11 章から 13 章まで予習しておいてください。
> Joann

the law enforcement agencies of Japan　日本の警察機関
come under fire　集中砲火にさらされる

STEP 2 解答

1 Donnie said he was caught in a traffic jam, which I knew was a lie.

2 The flag hoisted near the front gate of our school is the Hinomaru, Japan's national flag.

3 "However," I said, "I still don't think Japan should amend its Constitution."

STEP 3 解答

Corky started seeing other people, which I think is a good sign. I actually started worrying about her since she seemed so depressed after she broke up with Brad.
Anthony

If you would like to hear my honest opinion, I think your paper is not very original. Give me your honest feedback on mine also.
Thanks,
Marc

In the next class, we will discuss the law enforcement agencies of Japan that, as you know, have come under fire lately. Read chapters 11 through 13 in preparation.
Joann

テクニック 2 コロン

Kansai has three major cities. They are Osaka, Kyoto and Kobe.
Kansai には三つの主要都市がある。それらは Osaka、Kyoto そして Kobe である。

→ **Kansai has three major cities: Osaka, Kyoto and Kobe.**
Kansai には三つの主要都市がある。すなわち、Osaka、Kyoto そして Kobe である。

もとの文はココがイマイチ	→	このワザでこう解決！
1 「Osaka、Kyoto そして Kobe」が「Kansai の三つの主要都市」の実例であることをより明確にしたい。		二つの文をコロンでつなげば、「すなわち」と実例を導いていることがはっきりする。

2 単純な実例を導く場合だけでなく、STEP 1 の 4、5 のように「具体的説明」を「すなわち」と導く場合にもコロンは有効。

STEP 1 コロンを挿入しつつ文を書き換え、メリハリのよさを確認しよう！

1 I have three favorite songs. They are *Ashes to Ashes*, *I Believe I Can Fly* and *Fantasy*.
（私には三つの大好きな歌があります。それらは Ashes to Ashes、I Believe I Can Fly そして Fantasy です）

2 However complex it may appear, the economy can be boiled down to only two elements. They are supply and demand.
（どれほど複雑に見えようとも、経済というものはたった二つの要素に煮詰められる。それらは需要と供給だ）

3 Kurosawa directed two masterpieces that will remain forever in film history. They are *Rashomon* and *Seven Samurai*.
（Kurosawa は映画史に永遠に残る二本の傑作を監督した。それらは、「羅生門」と「七人の侍」である）

テクニック ② コロン

4 メリハリをつけるワザ

目標 コロンを使って「すなわち」と展開できるようになろう！

　コロンとセミコロンに当たるものは日本語にありませんので、どうしても苦手意識が引き起こされがちです。実は、ネイティヴも苦手のようで、彼らの大半はコンマとピリオドだけの文章を書く傾向があります。だからこそ、コロンやセミコロンを使いこなせると、それだけで十分アピールすることになるのです。細かいことはさておき、コロンの基本は「すなわち」と実例や説明を導くこと。とりあえずはこれだけを頭において、以下の実例を参照してみてください。

手順はこれだけ！

　　Kansai has three major cities. They are Osaka, Kyoto and Kobe.

⬇

「すなわち」と実例やより詳細な説明が導かれている箇所を見極める。

⬇

three major cities のことを Osaka, Kyoto and Kobe と具体的に説明している。

⬇

コロンを挿入し、自明の主語・動詞（この場合、二文目の they are）を取り除く。

⬇

　　Kansai has three major cities: Osaka, Kyoto and Kobe.

STEP 1　解答

1　I have three favorite songs: *Ashes to Ashes*, *I Believe I Can Fly*, and *Fantasy*.
（私には三つの大好きな歌があります。すなわち Ashes to Ashes、I Believe I Can Fly そして Fantasy です）

2　However complex it may appear, the economy can be boiled down to only two elements: supply and demand.
（どれほど複雑に見えようとも、経済というものはたった二つの要素に煮詰められる。すなわち、需要と供給だ）

3　Kurosawa directed two masterpieces that will remain forever in film history: *Rashomon* and *Seven Samurai*.
（Kurosawa は映画史に永遠に残る日本の傑作を監督した。すなわち、「羅生門」と「七人の侍」である）

153

4 America is the single super power on the globe. It has the strongest economy and military force in the world.
(アメリカは地球上で唯一の超大国である。それは世界最強の経済と軍事力を持っている)

5 The reason why today's democracies are not functioning as they should is very simple. The voting rate is too low.
(今日の民主主義があるべき姿で機能していない理由はとても単純だ。投票率が低すぎるのである)

STEP 2 コロンを使って英作文をしてみよう！

1 日本はたった一つの必須栄養素しか自給できていない。すなわちビタミンCである。

　　必須栄養素　nutritional requirement　　自給する　self-supply
　　ビタミンC　vitamin C

2 環境破壊の原因となりうるものは多数ある。すなわち二酸化炭素、二酸化硫黄、あるいは他の有害なガスや物質である。

　　環境破壊　environmental destruction　　二酸化炭素　carbon dioxide
　　二酸化硫黄　sulfur dioxide

3 インドは注意深く扱われるべき国である。というのも、世界第二の人口と核兵器を持っているからである。

　　世界第二の人口　the second largest population in the world
　　核兵器　atomic weapons

STEP 3 コロンを使って、さっそくメールを書いてみよう！

> キャンプに必要不可欠なものを持ってくるだけでいいからね。ナイフ、軍手、テント、温かい服、マッチ、そして寝袋。それでほぼ十分だから。
> それじゃ、明日。
> Luke

　　essential items　必要不可欠なもの　　a sleeping bag　寝袋

テクニック ② コロン

4 メリハリをつけるワザ

4 America is the single super power on the globe: it has the strongest economy and military force in the world.
(アメリカは地球上で唯一の超大国である。すなわち、世界最強の経済と軍事力を持っている)

5 The reason why today's democracies are not functioning as they should is very simple: the voting rate is too low.
(今日の民主主義があるべき姿で機能していない理由はとても単純だ。すなわち、投票率が低すぎるのである)

STEP 2 解答

1 Japan can fully self-supply only one nutritional requirement: vitamin C.
(← Japan can fully self-supply only one nutritional requirement. It is vitamin C.)

2 There are many things that are possible causes of environmental destruction. They are: carbon dioxide, sulfur dioxide and other harmful gasses and substances.
(← There are many things that are possible causes of environmental destruction. They are carbon dioxide, sulfur dioxide and other harmful gasses and substances.)

3 India is a country that should be treated with great care and consideration: it has the second largest population in the world, and atomic weapons.
(← India is a country that should be treated with great care and consideration. It has the second largest population in the world, and atomic weapons.)

STEP 3 解答

Just bring a few essential items for camping: a knife, gloves, a tent, warm clothes, matches, and a sleeping bag. That's about all you need.
See you tomorrow,
Luke

Leon
今日の生活にはたった二つの物しかいらないって誰かが言ってた。コンピュータと携帯電話だって。賛成？
Gene

Sunchaserさん
我が社の最新アンチウィルスソフト、「Virus Shield」へのご関心、ありがとうございます。我々のウェブサイトで既にお読みになったかもしれませんが、二つの注目すべき理由で、今すぐにご購入なさることを強くおすすめします。すなわち、無料オンラインアップグレードと同様、現在実施中の10％割引がまもなく期限切れになるということです。すぐにご返信ください！
販売部　David Mouse

　latest　最新の　　at present　現在　　expire　期限切れになる

テクニック ② コロン

Leon,
Someone told me that we need only two things to live today: a computer and a cellular phone. Do you agree?
Gene

Dear Mr. Sunchaser,
Thank you for your interest in "Virus Shield," our latest anti-virus software. As you might have already read on our website, we have two compelling reasons to urge you to purchase it now: the 10% discount offered at present will soon expire as will the free online upgrade option. Email me back soon!
David Mouse, sales representative

4 メリハリをつけるワザ

テクニック3 セミコロン

Jennifer passed the math exam. James didn't.
Jennifer はその数学の試験に通った。James は通らなかった。

➡ Jennifer passed the math exam; James didn't.
　Jennifer はその数学の試験に通った。一方、James は通らなかった。

	もとの文はココがイマイチ	➡	このワザでこう解決！
1	二つの文が単純に並列されているので、対応関係がはっきりしない。		セミコロンによって、二つの文の対照性が明確になる。
2	STEP 1 の 5 などのように、コンマを含むかたまりをすっきりと区切る際にもセミコロンは有効。		

STEP 1 適切な場所にセミコロンを挿入して二文をつなぎ、メリハリのよさを確認しよう！

1　The Soviet Union collapsed around the end of the 20th century. China did not.
（ソビエト連邦は 20 世紀の終わりごろに崩壊した。中国はしなかった）

2　The Tokyo metropolitan area attracts over 10 million people. Consequently, many rural areas are losing their population rapidly.
（首都圏には 1000 万人以上の住民がいる。結果、多くの農村部が急速に人口を失っている）

3　America always acts like it is right. Japan always acts like America is right.
（アメリカは自国が正しいように常に振舞う。日本はアメリカが正しいように常に振舞う）

4　Older people seem to prefer eating at home. Younger people seem to prefer eating out.
（高齢の者は家で食べることを好むようだ。若者は外食を好むようだ）

テクニック ③ セミコロン

> **目標** セミコロンを使って、より自在に文を区切れるようになろう！

セミコロンには主に二つの使い方があり、一つは基本文のように対照関係を表すもの。もう一つは、これはコンマとピリオドの間に位置付けられるものです。後者は、コンマを含むかたまりをセミコロンで大きく区切るときに用います（STEP 1 の 5 など参照）。なかなか厄介ですが、コンマ、コロンと学んだこの機会に、まとめてやっつけてください。区切りとしての大きさ、強さを、「コンマ＜セミコロン＜コロン＜ピリオド」とつかんでおきましょう。

手順はこれだけ！

Jennifer passed the math exam. James didn't.

↓

二つの文の間に対照関係があることを確認し、セミコロンで二つの文をつなぐ（この場合、「Jennifer が試験に通った一方で James は通らなかった」という対照をなしている）。

↓

Jennifer passed the math exam; James didn't.

STEP 1　解答

1　The Soviet Union collapsed around the end of the 20th century; China did not.
（ソビエト連邦は 20 世紀の終わりごろに崩壊した。一方、中国はしなかった）

2　The Tokyo metropolitan area attracts over 10 million inhabitants; consequently, many rural areas are losing their population rapidly.
（首都圏は 1000 万人以上の人口を集める。結果、[対照的に] 多くの農村部が急速に人口を失っている）

3　America always acts like it is right; Japan always acts like America is right.
（アメリカは自国が正しいように常に振舞う。一方、日本はアメリカが正しいように常に振舞う）

4　Older people seem to prefer eating at home; younger people seem to prefer eating out.
（高齢の者は家で食べることを好むようだ。一方、若者は外食を好むようだ）

5 Here are some of my favorite books. *The Sun Also Rises* by Ernest Hemingway, for its simplicity. *Light in August* by William Faulkner, for its beautiful description. And *Beloved* by Toni Morrison, for its inexhaustible energy.
（私の大好きな本は以下の通りです。簡潔さなら、Ernest Hemingway の The Sun Also Rises。美しい描写なら、William Faulkner の Light in August。無尽蔵のエネルギーなら、Toni Morrison の Beloved です）

STEP 2　セミコロンを使って英作文をしてみよう！

1 Hall 博士は教えることに熱心のようです。しかしながら、Brett 博士は学生が好きですらないようです。

　　熱心な　enthusiastic

2 現在のペースで公債を発行し続けるのは自殺行為だと言う者もある。一方、瀕死の経済を呼び覚ますにはこれが最も効果的な方法だと言う者もある。

　　現在のペースで　at the current pace　　公債　government bonds
　　発行する　issue　　自殺行為の　suicidal
　　瀕死の経済　the dying economy　　呼び覚ます　prime

3 様々な理由で、Betty は素晴らしい外科医になると私は思う。彼女の道徳水準はとても高く、それはいかなるプロフェッショナルにも不可欠であり、また、彼女は周りのみんなに世話が行き届き、そして彼女はとても手先が器用だからだ。

　　外科医　surgeon　　道徳水準　a moral standard
　　～の世話が行き届く　take good care of　　手先が器用な　dexterous

STEP 3　セミコロンを使って、さっそくメールを書いてみよう！

Harold は自分が大好きで、一方彼の奥さんは自分が嫌いなのよね。何であの二人があんなに素晴らしいカップルなのか、わかんないわ。
Linda

5 Here are some of my favorite books: *The Sun Also Rises* by Ernest Hemingway, for its simplicity; *Light in August* by William Faulkner, for its beautiful descriptions; and *Beloved* by Toni Morrison, for its inexhaustible energy.
（私の大好きな本は以下の通りです。簡潔さなら、Ernest Hemingway の The Sun Also Rises、美しい描写なら、William Faulkner の Light in August、無尽蔵のエネルギーなら、Toni Morrison の Beloved です）

STEP 2 解答

1 Dr. Hall seems enthusiastic about teaching; however, Dr. Brett doesn't even seem to like students.
(← Dr. Hall seems enthusiastic about teaching. However, Dr. Brett doesn't even seem to like students.)

2 Some say continuing to issue government bonds at the current pace is suicidal; others say it is the most effective method of priming the dying economy.
(← Some say continuing to issue government bonds at the current pace is suicidal. Others say it is the most effective method of priming the dying economy.)

3 I think Betty will make a great surgeon for various reasons: she has a very high moral standard, which is indispensable for any professional; she takes good care of everybody around her; and she is very dexterous.
(← I think Betty will make a great surgeon for various reasons. She has a very high moral standard, which is indispensable for any professional. She takes good care of everybody around her. And she is very dexterous.)

STEP 3 解答

Harold loves himself; his wife hates herself. I don't know why they make such a great couple...
Linda

私の大好きなテレビ番組と、私がそれらを好む理由は例えば以下の通りです。娯楽で見るのは Quiz Billionaire、エンターテインメントは Movie Navigation、教育なら Science Now です。キミのは？
John

as follows　以下の通りの

私がいわゆる自由貿易に懐疑的なのは、以下の二、三の基本的な理由によります。貿易が常に本当に自由であるという考えは疑わしいこと、政治的にであれ経済的にであれより強い国がより有利になる傾向があること、そして、自由貿易はより大量の消費を誘発する傾向があり、それが環境破壊に大いにつながりうることです。この問題についてのあなたの見解を聞かせてください。
Garth

skeptical　懐疑的な　　strictly speaking　厳密に言えば
advantages　有利さ　　induce greater consumption　より大量の消費を誘発する
view　視点、見解

> Some of my favorite TV shows and reasons why I like them are as follows: Quiz Billionaire, for fun; Movie Navigation, for entertainment; and Science Now, for education. What are yours?
> John

> I have a few basic reasons why I'm skeptical about so-called free trade: the notion that trade is ever truly free is dubious; politically or economically stronger countries tend to have greater advantages; and free trade has a tendency of inducing greater consumption, which may well lead to environmental destruction. Please tell me about your view on this issue.
> Garth

テクニック 4 挿入

Very few Japanese know what's really happening outside the country.
自国の外で本当のところ何が起こっているかを知っている日本人はほとんどいない。

➡ Very few, **if any**, Japanese know what's really happening outside the country.
自国の外で本当のところ何が起こっているかを知っている日本人は、もしいるにしても、ほとんどいない。

	もとの文はココがイマイチ	➡	このワザでこう解決！
1	「〜を知っている日本人はほとんどいない」の「ほとんどいない」がポイントなので、そこにアクセントが欲しい。		if any を挿入すれば、「もしいるにしても」と譲歩しつつ「ほとんどいない」ことを強調することができる。
2	「〜を知っている日本人はほとんどいない」では単なる断定で、やや一本調子。		if any の挿入によって、直接相手に話し掛けているようなムードを作ることができる。

STEP 1 適切な場所に語句を挿入して、メリハリのよさを確認しよう！

1 Bobby is not very patient.
（Bobby はあまり忍耐強くない→ as you know を挿入して「Bobby は、あなたも知っているように、あまり忍耐強くない」に）

2 Our team will do our best to save your child's life.
（我々のチームはあなたの子供の命を助けるために最善を尽くします→ no matter what may happen を挿入して「我々のチームは、何が起ころうとも、あなたの子供の命を助けるために最善を尽くします」に）

3 The suspect was found guilty.
（その容疑者は有罪とされた→ as everyone expected を挿入して「その容疑者は、誰もが考えていた通り、有罪とされた」に）

4 Our research will contribute to the progress of natural science.
（我々のリサーチは自然科学の進歩に貢献するだろう→ I hope を挿入して「我々のリサーチは自然科学の進歩に貢献するだろうと私は願っている」に）

テクニック 4　挿入

目標 挿入句を使って、話し掛けているような臨場感を出せるようになろう！

会話では常に、「日本は、ご存知かと思いますが、単一民族国家ではなく…」「これからの社会は、私が思うに、ヴァーチャル化が一層進み…」のように、ちょっとした挿入が繰り返されるもの。これを書き言葉の中で再現するのが、挿入句の役割です。これはリアルさをかもし出すのに最適。ぜひ活用してください！

手順はこれだけ！

Very few Japanese know what's really happening outside the country.

⬇

ポイントを明確にしメリハリをつけるために有効な語句を探す。

⬇

この場合、「ほとんどいない」にアクセントをつけるために「もしいるにしても (if any)」が有効。コンマで前後を区切って挿入する。

⬇

Very few, if any, Japanese know what's really happening outside the country.

STEP 1　解答

1　Bobby is, as you know, not very patient.
（Bobby は、あなたも知っているように、あまり忍耐強くない）

2　Our team, no matter what may happen, will do our best to save your child's life.
（我々のチームは、何が起ころうとも、あなたの子供の命を助けるために最善を尽くします）

3　The suspect, as everyone expected, was found guilty.
（その容疑者は、誰もが考えていた通り、有罪とされた）

4　Our research, I hope, will contribute to the progress of natural science.
（我々のリサーチは自然科学の進歩に貢献するだろうと私は願っている）

5 Japan has to make an even bigger contribution to the United Nations.
（日本は国連に対して更に大きな貢献をもせねばならない→ having the third largest economy in the world を挿入して「日本は、世界第三の経済大国なのだから、国連に対して更に大きな貢献をもせねばならない」に）

STEP 2　挿入句を使って英作文をしてみよう！

1　観客の大多数は、全員ではないにせよ、そのショーが終わる前に立ち去った。
　　全員ではないにせよ　if not all

2　私は、Maichou News の編集長として、事実を根本的にゆがめる記事の執筆に献身することはできません。
　　Maichou News の編集長として　as editor in chief of the Maichou News
　　根本的に　radically　　ゆがめる　distort
　　記事　an article　　献身する　commit oneself

3　インドネシアの戦略的重要性は、私が思うに、その地政学上の位置ゆえに減じることはないでしょう。
　　戦略的重要性　strategic importance
　　地政学上の位置　geopolitical position
　　減じる　decrease

STEP 3　挿入句を使って、さっそくメールを書いてみよう！

Kashiwabara さんの自殺の理由については、仮に何かあるにせよ、ほとんど何も知られていません。私はただ、氏の魂が今は安らかに眠っていることを祈っています。
Paul

　　if anything　何かあるにせよ
　　at peace　安らかな、平和のうちにある

私は、あなたの担任としてだけでなく友達の一人として、簡単ではないと思うけれどあなたがクラスに戻ってきて私たちと一緒に学んでくれることを望んでいます。私たちみんなが、あなたのことを待っているから。
敬具
Sally

　　not only as your homeroom teacher but also as one of your friends
　　あなたの担任としてだけでなく友達の一人として

テクニック ④ 挿入

4 メリハリをつけるワザ

5 Japan, having the third largest economy in the world, has to make an even bigger contribution to the United Nations.
（日本は、世界第三の経済大国なのだから、国連に対して更に大きな貢献をもせねばならない）

STEP 2 解答

1 A majority of the audience, if not all, left before the show was over.
（← A majority of the audience left before the show was over.）

2 I, as Editor-in-Chief of the Maichou News, cannot commit myself to writing an article that radically distorts reality.
（← I cannot commit myself to writing an article that radically distorts reality.）

3 The strategic importance of Indonesia, I think, will not decrease as a result of its geopolitical position.
（← The strategic importance of Indonesia will not decrease as a result of its geopolitical position.）

STEP 3 解答

Very little, **if anything**, is known about the reasons for Mr. Kashiwabara's suicide. I just hope his soul is at peace now.
Paul

I, **not only as your homeroom teacher but also as one of your friends**, want you to come back to our class and study with us again, even though I imagine it's not easy. We are all waiting for you.
Sincerely,
Sally

Jones さん

日本経済が真の回復軌道に乗っているという兆候が、仮に何かあるにせよ、ほとんどないことには同意します。しかしながら、そういう時期にこそ、投資に対するハイリターンを享受する素晴らしい機会があるのです。これを逃すのはいい考えだとお思いですか？

敬具

Joel Sullivan

indications　兆候、指し示すもの　　if any　仮に何かあるにせよ
true recovery　真の回復　　investments　投資

Dear Ms. Jones,

I agree that there are very few indications, **if any**, that the Japanese economy is on a course of true recovery. However, that's exactly when there are some great opportunities for you to enjoy a high return on your investments. Do you really think it's a good idea to let this opportunity pass?

Sincerely,

Joel Sullivan

テクニック 5 導入

This house is very cozy.
この家は居心地がいい。

➡ First of all, this house is very cozy.
　第一に、この家は居心地がいい。

もとの文はココがイマイチ	➡	このワザでこう解決！
1 「この家は居心地がいい」といきなり言われても、唐突な感じがする		「第一に」と断ってから話が始まっているので、聞き手は頭が整理され、心の準備ができる。

STEP 1 導入句を挿入して、ニュアンスの違いを確かめよう！

1 We need to know what sport Japanese teenagers like best.
（日本の十代はどのスポーツが最も好きか、我々は知る必要がある→「第一に、日本の十代はどのスポーツが最も好きか、我々は知る必要がある」に）

2 We want to know how many times Japanese college students eat every day.
（日本の大学生が毎日何回食事をするか我々は知りたい→「第二に、日本の大学生が毎日何回食事をするか我々は知りたい」に）

3 We will analyze the data and write a report.
（我々はそのデータを分析し、報告書を書くつもりだ→「それから、我々はそのデータを分析し、報告書を書くつもりだ」に）

4 Let's talk about the potential economic crisis in China.
（中国における経済危機の可能性について話そう→「最初の話題は中国における経済危機の可能性についてである」に）

5 I would like to outline our company's strategy for online marketing.
（オンラインマーケティングに対する我が社の戦略を概説させていただきたいのですが→「オンラインマーケティングに対する我が社の戦略を概説することから始めさせていただきたく存じます」に）

テクニック ⑤ 導入

4 メリハリをつけるワザ

> **目標** 導入の語句によって、相手の頭の整理を助けよう！

あなたが話し始めたとき、相手はあなたの言いたいことが分かってはいません。ですから、相手の心の準備を促すような導入の語句を挿入すると、相手は驚くことなくあなたの話を聞き進めやすくなります。これは話の途中も同様。「第二に」「次に」などと時々現在地を知らせるだけで、相手の心は落ち着き、頭は格段に整理されます。こんなちょっとした配慮が、あなたの英語の分かりやすさを決定するのです。

手順はこれだけ！

This house is very cozy.

⬇

導入の語句 "first of all" を挿入

⬇

First of all, this house is very cozy.

STEP 1　解答

1　First, we need to know what sport Japanese teenagers like best.
（第一に、日本の十代はどのスポーツが最も好きか、我々は知る必要がある）

2　Second, we want to know how many times Japanese college students eat every day.
（第二に、日本の大学生が毎日何回食事をするか我々は知りたい）

3　Then, we will analyze the data and write a report.
（それから、我々はそのデータを分析し、報告書を書くつもりだ）

4　The first topic is the potential economic crisis in China.
（最初の話題は中国における経済危機の可能性についてである）

5　I would like to start by outlining our company's strategy for online marketing.
（オンラインマーケティングに対する我が社の戦略を概説することから始めさせていただきたく存じます）

STEP 2 導入句を使って、英作文をしてみよう！

1 次に、我々はアドバイザーに報告書を見てもらい、意見をもらいます。

2 最後に、少々高望みしすぎかもしれませんが、我々はその報告書が出版されるよう試みます。
　　高望みする　aim high

3 この記事を閉じるにあたり、わが社の創立者の二、三の言葉で締めくくりたいと思います。
　　創立者　founder

STEP 3 導入句を使って、さっそくメールを書いてみよう！

> 山田さん、第一に、たった今解決されたインターネットサーバーの問題のせいで返事をするのにこれほど長くかかってしまったこと、本当に申し訳ありません。遅れは取り戻しつつあり、あなたが先週注文した製品はスケジュール通りに明日の午後配達します。それだけお知らせしたいと思いまして。あなた様の寛大さに感謝します。
> Bruce Keating

　　catch up　遅れを取り戻す

テクニック ⑤ 導入

4 メリハリをつけるワザ

STEP 2 解答

1 Next, we will have our adviser look up our report and give his opinion.
   (← We will have our adviser look up our report and give his opinion.)

2 Finally, we will try to get the report published, even though we might be aiming a little too high.
   (← We will try to get the report published, even though we may be aiming a little too high.)

3 To bring this article to a close, I would like to end with a few words by the founder of our company.
   (← I would like to end with a few words by the founder of our company.)

STEP 3 解答

Mr. Yamada, **first of all**, I am terribly sorry that it took me so long to write you back due to the problem with the Internet server which has been just solved. Things are catching up and the product that you ordered last week will be delivered tomorrow afternoon as scheduled. I just wanted to let you know. Thank you very much for your patience,
Bruce Keating

テクニック 6 話題の転換と関連づけ

Why don't we talk about the similarities between Western and Eastern cultures?
西洋と東洋の文化の類似点について話しませんか？

➡ **Let's switch the subject and talk about the similarities between Western and Eastern cultures.**
話題を変えて、西洋と東洋の文化の類似点について話しませんか？

もとの文はココがイマイチ	➡	このワザでこう解決！
1 「〜話しませんか」という提案が唐突過ぎる印象を与える		「話題を変えて」と断っているので、唐突な感じが和らぐ。また、自分本位な印象も和らげることができる。

STEP 1 話題の転換と関連づけの語句を使って、ニュアンスの違いを確かめよう！

1 How about racial discrimination?
（人種差別についてはどうですか？→「何か他のことを話し合いましょう。人種差別についてはどうですか？」に）

2 Let's talk about humanity and divinity.
（人間性と神性について話しましょう→「これはいったん置いておき、人間性と神性について話しましょう」に）

3 I heard something really interesting.
（何か本当に面白いことを聞いた→「ところで、何か本当に面白いことを聞きましたよ」に）

4 Why don't we talk about something else?
（何か他のことを話しませんか？→「ひょっとしたら、この話題についてはどこにも辿りつかないようです。何か他のことを話しませんか？」に）

5 How about the gender issue?
（ジェンダー問題はどうでしょうか？→「代わりに何か他のことを話し合うべきだと思いますか？ジェンダー問題はどうでしょうか？」に）

テクニック⑥　話題の転換と関連づけ

> **目標**　話題の転換や関連づけの語句を使って、うまく話を変えたりつないだりできるようになろう！

　長々とひとつの話が続いたり、話し合いの出口が見えなかったり。そんなときには話を変えたくなるものですが、注意が必要です。いきなりそうすると、相手がついていけないばかりか、勝手に話題を変えようとするあなたは自分本位な人物という印象を持たれる可能性があるからです。そこで、一呼吸置いて、話題の転換や関連づけを表す語句を挿入します。

手順はこれだけ！

Why don't we talk about the similarities between Western and Eastern cultures?

⬇

話題の転換の語句 "let's switch the subject" を挿入

⬇

Let's switch the subject and talk about the similarities between Western and Eastern cultures?

STEP 1　解答

1　Let us discuss something else. How about racial discrimination?
（何か他のことを話し合いましょう。人種差別はどうですか？）

2　Let's put this aside for the moment and talk about humanity and divinity.
（これはいったん置いておき、人間性と神性について話しましょう）

3　By the way, I heard something really interesting.
（ところで、何か本当に面白いことを聞きましたよ）

4　Maybe we are getting nowhere with this subject. Why don't we talk about something else?
（ひょっとしたら、この話題についてはどこにも辿りつかないようです。何か他のことを話しませんか？）

5　Do you think we should discuss something else instead? How about the gender issue?
（代わりに何か他のことを話し合うべきだと思いますか？ジェンダー問題はどうでしょうか？）

STEP 2　話題の転換と関連づけの語句を使って、英作文をしてみよう！

1 これを念頭に、手元にある問題を解決するための次の段階へと進むことができるのではと思うのですが。

　　次の段階へと進む　move on to the next step

2 この論点について十分な話し合いをしたとあなたがお思いなら、ひょっとしたら、世界平和のような何か他のことについて話し合うこともできるのではないでしょうか。

　　論点　issue

3 この点については我々が合意に達する道はなさそうです。何か他のことについて話し合いたいですか？

　　合意に達する　reach an agreement

STEP 3　話題の転換と関連づけの語句を使って、さっそくメールを書いてみよう！

> Laura、この論点については十分長く話し合ったように見受けられますし、きっとあなたも同様に感じていると思います。話題を変えて、物事を進め続けましょう。例えば、子どもや親せきのいない老人を主たるターゲットにする新しいプロジェクトについてアイデアをひねり出すのはどうでしょうか？経費削減について考えるよりもずっと楽しいですよ。そう思いませんか？
> Christy

　　cutting costs　経費削減

テクニック ⑥ 話題の転換と関連づけ

STEP 2 解答

1 With this in mind, I guess we could move on to the next step to solve the problem at hand.
 (← We should solve the problem at hand.)

2 If you think we have had enough discussion on this issue, maybe we could talk about something else such as world peace.
 (← Let's talk about something else such as world peace.)

3 It seems there is no way for us to reach an agreement with this topic. Do you want to talk about something else?
 (← Do you want to talk about something else?)

STEP 3 解答

Laura, it seems that we have discussed this issue long enough, and I'm pretty sure you feel the same way. **Let's switch the subject** and keep things moving. How about coming up with an idea for a new project mainly targeting senior citizens with no children or relatives? It's a lot more fun than thinking about cutting costs, don't you think?
Christy

テクニック7 因果関係

I skipped the physics class this morning. I had a bad headache.
私は物理学の授業をサボった。ひどい頭痛がしていた。

➡ I skipped the physics class this morning **because** I had a bad headache.
ひどい頭痛がしていたので私は物理学の授業をサボった。

もとの文はココがイマイチ	➡	このワザでこう解決！
1 「物理学の授業をサボった」「ひどい頭痛がしていた」という二つの事柄が列挙されているに過ぎない。		because を生かして二つの文をつなぐことによって「ひどい頭痛がしていたのが原因でサボった」という因果関係がはっきりする。

STEP 1 因果関係を示す語句を使って文を書き換え、メリハリのよさを確認しよう！

1 Teddy couldn't even make it up to the quarterfinals. He lacked confidence.
（Teddyは準々決勝にすら進むことができなかった。彼には自信が足りなかった→ due to を挿入）

2 I knew Michelle would show up late. I didn't show up on time either.
（Michelleが遅れてくるのは分かっていた。私も時間通りには行かなかった→ that's why を挿入）

3 I had decided not to leave town. My mother was bed-ridden.
（私は町を出ないことに決めた。母は寝たきりだった→ for various reasons such as を挿入）

4 We had to double production. We compromised on the quality.
（私たちは生産を二倍にせねばならなかった。私たちは品質について妥協した→ consequently を挿入）

テクニック ⑦ 因果関係

目標 因果関係を表す語句を活用して、二つの文を明快につなげるようになろう！

因果関係は、複数の文の接続の基本。会社に遅刻した理由から悲惨な交通事故の原因まで、「原因・結果」で語ることのできる事例は数限りなくあるからです。明快に因果関係を示しつつ論理的に文章を書き進めれば、読み手にとって読みやすく、きびきびとしたものに仕上がります。

手順はこれだけ！

I skipped the physics class this morning.　I had a bad headache.

⬇

二つの文に因果関係があることを確認する。「ひどい頭痛がしていたので私は物理学の授業をサボった」という因果関係がある。

⬇

因果関係を表す適切な語句を挿入して二つの文をつなぐ（この場合は because）。

⬇

I skipped the physics class this morning because I had a bad headache.

STEP 1　解答

1　Teddy couldn't even make it up to the quarterfinals due to his lack of confidence.
（自信が足りなかったせいで、Teddy は準々決勝にすら進むことができなかった）

2　I knew Michelle would show up late.　That's why I didn't show up on time either.
（Michelle が遅れてくるのは分かっていた。だから、私も時間通りには行かなかった）

3　I had decided not to leave town for various reasons such as my bedridden mother.
（寝たきりの母のようなさまざまな要因から、私は町を出ないことに決めた）

4　We had to double production.　Consequently, we compromised on the quality.
（私たちは生産を二倍にせねばならなかった。結果、私たちは品質について妥協した）

5 It has become completely normal for anyone to receive higher education regardless of gender. The average age of a woman's first marriage is approaching thirty.
（性別にかかわらず誰もが高等教育を受けるのが全く普通になった。女性の平均初婚年齢は三十歳に近づいている→ as a result を挿入）

STEP 2 因果関係を示す語句を使って英作文をしてみよう！

1 貧困のせいで、Mona は学校をやめて働き始めねばならなかった。

　　貧困　poverty

2 いわゆる先進国は 19 世紀を通して明らかに帝国主義的であり、それは 20 世紀前半の二つの世界大戦という結果になった。

　　帝国主義的な　imperialistic　　〜という結果になる　result in

3 世界人口の大多数は経済的繁栄を追求している。当然の帰結として、宗教や倫理のような他の全ての価値観がひどく損なわれている。

　　世界人口　the world's population　　経済的繁栄　economic prosperity
　　追求する　pursue　　当然の帰結として　as a natural consequence
　　宗教　religion　　倫理　ethics　　価値観　values
　　ひどく損なわれている　be severely compromised

STEP 3 因果関係を示す語句を使って、さっそくメールを書いてみよう！

キミのバンドのためには歌いたくないよ。キミらがまるでひどいっていう単純な理由でね。
J. A.

　　for the simple reason that 〜　　〜という単純な理由で　　suck　ひどい（俗語）

氏の病気のせいで、我々は Perry 氏抜きで次回の会合を持たねばなりません。しかしながら、彼の弁護士が代理人として出席します。
Lucy

　　attorney　弁護士　　representative　代理人

5 It has become completely normal for anyone to receive higher education regardless of gender. As a result, the average age of a woman's first marriage is approaching thirty.
（性別にかかわらず誰もが高等教育を受けるのが全く普通になった。結果として、女性の平均初婚年齢は三十歳に近づいている）

STEP 2 解答

1 Mona had to quit school and start working because of poverty.
（← Mona had to quit school and start working. She was living in poverty.）

2 So-called "advanced" countries were actively imperialistic throughout the 19th century, which resulted in two World Wars in the first half of the 20th century.
（← So-called "advanced" countries were actively imperialistic throughout the 19th century. Two World Wars took place in the first half of the 20th century.）

3 The majority of the world's population has been pursuing economic prosperity. As a natural consequence, all other values such as religion and ethics have been been severely compromised.
（← The majority of the world's population has been pursuing economic prosperity. All other values such as relgion and ethics have been been severely compromised.）

STEP 3 解答

> I don't want to sing for your band **for the simple reason that** you guys suck!
> J. A.

> We will have to have our next meeting without Mr. Perry **due to** his illness. However, his attorney will be present as his representative.
> Lucy

Waits 夫人
暖炉内の不完全燃焼によって産み出された相当な量の有毒ガスがあり、それがおそらくあなたの夫の死の直接要因です。我々はまだ調査の真っ只中にありますが、あなたは知る権利があると思いましたので。
Jody Spencer

toxic gas　有毒ガス　　imperfect combustion　不完全燃焼
investigation　調査

Mrs. Waits,

There was a considerable amount of toxic gas produced by imperfect combustion in the fireplace, **which probably is the direct cause of your husband's death.** We are still in the middle of our investigation, but I thought you had the right to know.

Jody Spencer

テクニック 8 展開

I knew Betty wouldn't come. I waited for three hours.
Betty は来ないだろうと分かっていた。私は三時間待った。

➡ I knew Betty wouldn't come. **Nevertheless**, I waited for three hours.
Betty は来ないだろうと分かっていた。それでも、私は三時間待った。

もとの文はココがイマイチ	➡	このワザでこう解決！

1 「～と分かっていた」「私は三時間待った」という二つの文の羅列には有機的なつながりが見られない。 / nevertheless を挿入すれば、「三時間待った」ことが「～と分かっていた」にもかかわらずの行為であったことが明確になる。

2 例えば STEP 1 の 1 のように first, second と挿入すれば、文章全体におけるそれらの文の位置がはっきりする。

STEP 1 適切な場所に展開を表す語句を挿入して、メリハリのよさを確認しよう！

1 The bubble economy burst. The government finance got messed up.
（バブル経済が崩壊した。政府の財政がめちゃめちゃになった→ first, second を挿入）

2 I'd like to point out that the decline in Japan's birth rate is a serious problem.
（日本の出生率の低下は深刻な問題だと私は指摘したい→ to begin with を挿入）

3 We must closely watch the ozone hole over the Antarctic continent. We must stop using products that contain ozone-depleting compounds.
（南極大陸上空のオゾン層の穴を私たちは注意深く監視せねばならない。私たちは、オゾン層を破壊する化合物を含む製品の使用を止めねばならない→ additionally を挿入）

4 It is a total misunderstanding that America is the only superpower in the world.
（アメリカが世界で唯一の超大国だというのは全くの誤解である→ however を挿入）

テクニック⑧ 展開

目標 展開を表す語句を活用して、文脈をはっきりさせることができるようになろう！

文が組み合わさって、文章になります。一つ一つの文はもちろん大切ですが、書くことの最終目標はあくまでも文章全体を理解してもらうこと。そのためには文脈が見えるようにして全体像をつかみやすくする工夫が不可欠です。そこで、展開を表す語句の出番。これだけで、前の文から後の文へのつながりがぐっと見えやすくなるのです。

手順はこれだけ！

I knew Betty wouldn't come.　I waited for three hours.

⬇

文脈がどのように展開しているかを見極める（この場合、「Bettyは来ないと知っていた」と「三時間待った」の間には「にもかかわらず」という逆接が見られる）。

⬇

この流れに適したnevertheless を挿入。

⬇

I knew Betty wouldn't come.　Nevertheless, I waited for three hours.

STEP 1　解答

1　First, the bubble economy burst.　Second, the government finance got messed up.
（第一に、バブル経済が崩壊した。第二に、政府の財政がめちゃめちゃになった）

2　To begin with, I'd like to point out that the decline in Japan's birth rate is a serious problem.
（はじめに、日本の出生率の低下は深刻な問題だと私は指摘したい）

3　We must closely watch the ozone hole over the Antarctic continent. Additionally, we must stop using products that contain ozone-depleting compounds.
（南極大陸上空のオゾン層の穴を私たちは注意深く監視せねばならない。加えて、私たちは、オゾン層を破壊する化合物を含む製品の使用を止めねばならない）

4　However, it is a total misunderstanding that America is the only superpower in the world.
（しかしながら、アメリカが世界で唯一の超大国だというのは全くの誤解である）

5 I would like to thank Mr. Nick Campbell for the valuable advice he gave me throughout my academic career.
   （私の学生時代を通して氏が下さった価値あるアドバイスに対し、Nick Campbell 氏に感謝したい→ lastly を挿入）

STEP 2　展開を表す語句を使って英作文をしてみよう！

1　その上、喫煙は悪習である。
    　　その上　on top of that　　悪習　a bad habit

2　Yui は十代のときに一年間アメリカで学んだ。また、彼女は二十代のときに平和部隊の一員としてボリビアに行った。
    　　また　also　　平和部隊　the Peace Corps

3　私は真に外向的な日本人を一人も知らない。それゆえ、私は日本人は一般的に内向的であると、個人的には考えている。
    　　外向的な　outgoing　　それゆえ　therefore
    　　一般的に　in general　　内向的な　introverted

STEP 3　展開を表す語句を使って、さっそくメールを書いてみよう！

> 付き合い始めてからたった 2 週間後に、Thomas は Mary をふったわ。それから Lily も。次は誰かしら？
> Daniel

　　then　それから

> そもそも私はその電子レンジが気に入らなかったのよ。おまけに、高すぎたじゃない！　だから私は買わなかったの。電子レンジのセール、どこかでやってない？　すぐに要るの。
> Lake

　　microwave　電子レンジ　　plus　おまけに、その上　　deal　（特別）セール

5 Lastly, I would like to thank Mr. Nick Campbell for the valuable advice he gave me throughout my academic career.
（最後に、私の学生時代を通して氏が下さった価値あるアドバイスに対し、Nick Campbell 氏に感謝したい）

STEP 2 解答

1 On top of that, smoking is a bad habit.
（← Smoking is a bad habit.）

2 Yui studied in America for a year in her teens. Also, she went to Bolivia as a member of the Peace Corps in her twenties.
（← Yui studied in America for a year in her teens. She went to Bolivia as a member of the Peace Corps in her twenties.）

3 I don't know a Japanese person who is truly outgoing. Therefore, I personally think Japanese people in general are introverted.
（← I don't know a Japanese person who is truly outgoing. I personally think Japanese people in general are introverted.）

STEP 3 解答

> Thomas dumped Mary only two weeks after they started going out. **Then**, he dumped Lily. Who is going to be next?
> Daniel

> I didn't like that particular microwave oven in the first place. **Plus**, it was way too expensive! That's why I didn't buy it. Are there any other deals being offered for microwaves? I need one soon.
> Lake

社員諸兄

我が社の売上は先月 10％向上しました。加えて、我々の製品の一つが「コンピュータ・オブ・ザ・イヤー」を受賞しました。みなさんのがんばりに心から感謝します。今年のクリスマスパーティは例年の二倍の規模となるでしょう。

敬具

社長　David Mills

　　in addition　加えて

Dear fellow workers,

Our sales increased by 10% last month. **In addition**, one of our products won the "Computer of the Year" award. Thank you very much for your hard work. This year's Christmas party will be twice as big as usual.

Sincerely,

David Mills, President

テクニック 9 対照

Bonnie is not beautiful. She is cute.
Bonnieはきれいではない。彼女はかわいい。

➡ Bonnie is **not** beautiful, **but** she is cute.
　Bonnieはきれいではないが、かわいい。

もとの文はココがイマイチ	➡	このワザでこう解決！
1 「Bonnieはきれいではない」「彼女はかわいい」という二つの文の羅列なのでメリハリに欠け、「きれいではない」と「かわいい」のどちらがより大切なポイントなのか不明。		butを用いて「きれいではないが、かわいい」とすれば「かわいい」こそが最も大切なポイントであると分かる。

STEP 1　対照を表す語句を使って文を書き換え、メリハリのよさを確認しよう！

1　Ian speaks fluent Spanish. He speaks some French also.
　（Ianはスペイン語をすらすらと話せる。彼はフランス語もいくらか話す→ not only, but also を挿入）

2　I was late. It was not because I slacked off. I had to take my mother to work.
　（私は遅刻した。怠けていたからではない。母を仕事に連れて行かなければならなかった→ not because, but because を挿入）

3　Jordan says the suspect killed the victim. Keaton says he didn't do it.
　（Jordanはその容疑者はその被害者を殺したという。Keatonは、彼はそんなことはやっていないという→ while を挿入）

4　I want to go to New York for better working opportunities. But I don't have enough money to get there in the first place.
　（よりよい雇用機会を求め、私はニューヨークに行きたい。しかし、私はそもそもそこへ行くだけのお金を持っていない→ on the one hand, on the other を挿入）

テクニック ⑨ 対照

目標 対照を表す語句を使って言いたいことを明確化できるようになろう！

本当に言いたいことを伝えるために対照的なものを並置するのはよくあること。ポイントを明確化するためにあえて対照的な意見や実例を挙げることもよくあります。ここではそのためのテクニックを。

手順はこれだけ！

Bonnie is not beautiful. She is cute.

↓

二つの文に対照関係があることを確認する（Bonnie が「きれいではない」ことと、彼女が「かわいい」ことの間に対照関係がある）。

↓

適切な語句を用いて二つの文をつなぎ合わせる（ここでは but）。

↓

Bonnie is not beautiful, but she is cute.

STEP 1　解答

1　Ian speaks not only fluent Spanish, but also some French.
（Ian はスペイン語をすらすらと話せるばかりか、フランス語もいくらか話す）

2　I was late not because I slacked off, but because I had to take my mother to work.
（私は遅刻したのは、怠けていたからではなく、母を仕事に連れて行かなければならなかったからだ）

3　Jordan says the suspect killed the victim while Keaton says he didn't.
（Jordan はその容疑者はその被害者を殺したと言うが、一方 Keaton は、彼はそんなことはやっていないと言う）

4　On the one hand, I want to go to New York for better working opportunities. On the other hand, I don't have enough money to get there in the first place.
（一方では、よりよい雇用機会を求め、私はニューヨークに行きたい。しかしもう一方では、私はそもそもそこへ行くだけのお金を持っていない）

5 Economics is rather boring. The hottest fields in natural science such as genetic engineering are not.
（経済学はかなり退屈だ。遺伝子工学のような自然科学の最もホットな分野はそうではない→ in comparison to を挿入）

STEP 2　対照を表す語句を使って英作文をしてみよう！

1 日本は世界第三の経済大国である。長い歴史を持った国でもあるのは言うまでもなく。

　　長い歴史　long history

2 初期作品と対照的に、Kurosawa の後期の映画は物語志向型であるよりもむしろ視覚志向型である。

　　初期作品　one's earlier works　　物語志向型の　story-oriented
　　視覚志向型の　visually oriented

3 私は自分が犯した罪を悔いているが、それは私が刑務所にいるからでも、私がそうして当然と誰もが思っているからでもなく、自分がしたことがいかにひどいかを悟るに至ったから、ただそれだけだ。

　　悔いる　regret　　刑務所　prison　　悟る　realize

STEP 3　対照を表す語句を使って、さっそくメールを書いてみよう！

Samantha

私の学生生活を通して、あなたは私に経済的な援助をしてくださったばかりか精神的なサポートもしてくださいました。お礼の申しようもありません。

Chika

---

　　financial aid　経済的な援助
　　spiritual support　精神的なサポート
　　I cannot thank you enough.　お礼の申しようもありません

5 Economics is rather boring in comparison to the hottest fields in natural science, such as genetic engineering.
(遺伝子工学のような自然科学の最もホットな分野と比べて、経済学はかなり退屈だ)

STEP 2 解答

1 Japan has the third largest economy in the world, not to mention that it is also a country with a long history.

(← Japan has the second largest economy in the world. It is also a country with a long history.)

2 In contrast to his earlier works, Kurosawa's later films are more visually oriented than story-oriented.

(← Kurosawa's later films are more visually oriented than his earlier story-oriented works.)

3 I regret the crime I committed, not because I'm in prison now or because everyone else thinks I should regret it, but simply because I've come to realize what a horrible thing I did.

(← I regret the crime I committed. It is not because I'm in prison now or because everyone else thinks I should regret it. It is because I've come to realize what a horrible thing I did.)

STEP 3 解答

Samantha,

You gave me **not only** financial aid **but also** spiritual support throughout my school life. I cannot thank you enough.

Best regards,

Chika

Ed
最近、教育についてずいぶん考えてるんだけど、教育は洗脳の一形態だって言うヤツもいれば、洗脳は教育の一形態だって言うヤツもいるよな。お前はどう思う？
Ronald

   brainwashing　洗脳

Benjamin 博士
この前の授業で先生が指摘されたように、変動相場制は各国の経済力を忠実に反映するというメリットがあります。しかしながら、それは同時に、制御がきかなくなるという本質的な危険を伴っているのではないでしょうか。これについてのご意見をうかがえますか？
ありがとうございます
Becky

   the floating exchange rate system　変動相場制　　accurately　忠実に
   reflect　反映する　　economic power　経済力　　intrinsic　本質的な、内在的な

> Ed,
> I've been thinking a lot about education lately. Some say education is a form of brainwashing, **while** others say brainwashing is a form of education. What do you think?
> Ronald

> Dr. Benjamin,
> As you pointed out in our last class, the floating exchange rate system has the benefit of accurately reflecting each country's economic power. **However**, I suspect it has an intrinsic risk of going out of control **at the same time**. Will you give me your opinion on this?
> Thank you,
> Becky

テクニック10 結論

Japan is a good place to live.
日本は住むのによい場所である。

→ **In conclusion, Japan is a good place to live.**
結論として、日本は住むのによい場所である。

	もとの文はココがイマイチ	→	このワザでこう解決！
1	日本についての単なるコメントである		"in conclusion" という挿入句によって結論であることがが明示されているので、聞き手はそう受け取る。

STEP 1　結論を導く語句を使って、ニュアンスの違いを確かめよう！

1　He is not an honest guy.
　（彼は正直な男ではない→「つまり、彼は正直な男ではない」に）

2　America is no longer in a position to gain hegemony.
　（アメリカはもはや覇権を手に入れる地位にはいない→「まとめると、アメリカはもはや覇権を手に入れる地位にはいない」に）

3　I wouldn't agree with you on the subject.
　（私ならばその話題についてはあなたに同意しないでしょう→「それゆえ、私ならばその話題についてはあなたに同意しないでしょう」に）

4　I don't think you should go abroad at this point.
　（現時点ではあなたは海外に行くべきではないと私は思う→「この理由で、現時点ではあなたは海外に行くべきではないと私は思う」に）

5　Jason should give you at least another day or two before he finalizes his decision.
　（最終決定をする前に、Jason は少なくともあと一日か二日待つべきだ→「当然、最終決定をする前に、Jason は少なくともあと一日か二日待つべきだ」に）

テクニック⑩　結論

目標 挿入句によって、結論であることをはっきり印象づけよう！

　主張とは何らかの結論のこと。主張するとはあなたの顔が見えるようにすることであり、それはすなわち結論をはっきり伝えると言うことに他なりません。そこで気をつけたいのが、「これは私の結論です」とはっきり意思表示すること。そうすることによって相手の心の準備を促した上で、主張をぶつければ、賛成・反対を問わず、相手にきちんと届き、リアクションが期待できるというわけです。

手順はこれだけ！

Japan is a good place to live.

⬇

結論の語句 "in conclusion" を挿入

⬇

In conclusion, Japan is a good place to live.

STEP 1　解答

1　In short, he is not an honest guy.
（つまり、彼は正直な男ではない）

2　To sum up, America is no longer in a position to gain hegemony.
（まとめると、アメリカはもはや覇権を手に入れる地位にはいない）

3　Therefore, I wouldn't agree with you on the subject.
（それゆえ、私ならばその話題についてはあなたに同意しないでしょう）

4　For this reason, I don't think you should go abroad at this point.
（この理由で、現時点ではあなたは海外に行くべきではないと私は思う）

5　Naturally, Jason should give you at least another day or two before he finalizes his decision.
（当然、最終決定をする前に、Jason は少なくともあと一日か二日待つべきだ）

STEP 2　結論を導く語句を使って、英作文をしてみよう！

1　ここから、我々はロンドン支店を直ちに閉めるべきであると結論する。
　　　結論する　conclude

2　ここから、南米への更なる投資はいい動きではないという結論になる。
　　　更なる投資　further investment

3　要約すると、従業員がもっと一所懸命働くように仕向けるために我々ができることはとてもたくさんあるということだ。

STEP 3　結論を導く語句を使って、さっそくメールを書いてみよう！

> Johnsonさん、目下の金融市場についてのあなたの分析及び今後三年間の予測を送っていただき、ありがとうございます。それと我々自身の情報源から、我々は要約すると以下のようになると考えます。一年か二年のうちに根本的な変化が金融市場に打撃を与えるだろうということ、そして我々がどうそれに対処するかによって大きなチャンスにもリスクにもなり得るということ。会って話し合うのはいかがですか？
> Todd

　　the current money market　目下の金融市場
　　drastic change　根本的な変化

STEP 2 解答

1 From this, we conclude that we should immediately close our London branch.
   (← We should immediately close our London branch.)

2 It follows from this that making further investment in South America is not a good move.
   (← Making further investment in South America is not a good move.)

3 In summary, there are so many things we can do to get our employees to work harder.
   (← There are so many things we can do to get our employees to work harder.)

STEP 3 解答

Mr. Johnson, thank you for sending your analysis on the current money market and your forecast for the next three years. From that and our own sources, we **summarize** that a drastic change will hit the money market in a year or two and that it can be a great chance or a risk, depending on how we handle it. Would you like to hook up and discuss it?
Todd

Chapter 5
ポイントを強調するワザ

テクニック 1 強調①…強調の副詞

I told you not to be late.
私はあなたに遅れないようにと言いました。

➡ I told you, **specifically**, not to be late.
私はあなたに、特に、遅れないようにと言いました。

もとの文はココがイマイチ	➡	このワザでこう解決！
1 「遅れないようにと言った」ことを単純に主張しているに過ぎない。		specifically の挿入によって「（他のことではなく）特に」というニュアンスを強調できる。

STEP 1 適切な場所に強調の副詞を挿入して文を書き換え、ニュアンスの違いを確認しよう！

1 I want to know the feasibility of constructing a pipeline in Afghanistan.
（私はアフガニスタンにおけるパイプライン建設の実行可能性を知りたい→ in particular を使って「私は、特に、アフガニスタンにおけるパイプライン建設の実行可能性を知りたい」に）

2 The trees are lovely in the park this time of year.
（一年の今ごろ、公園では木々が美しい→ especially を使って「一年の今ごろは木々が美しい。とりわけ公園では」に）

3 The chances of your getting the job are good, I think.
（キミがその仕事を得るチャンスはかなりあると思う→ very を使って「キミがその仕事を得るチャンスはとてもあると思う」に）

4 I am positive that Ian didn't mean to hurt you.
（Ian がキミを傷つけるつもりはなかったことは確かです→ absolutely を使って「Ian がキミを傷つけるつもりはなかったことは絶対に確かです」に）

5 I felt utterly confused with Mr. Bean since he changed his attitude toward me every minute.
（Bean さんには全く混乱させられました、彼が分刻みで私に対する態度を変えるので→ utterly を使って「Bean さんには全く混乱させられました、彼が分刻みで私に対する態度を変えるので」に）

テクニック① 強調①…強調の副詞

目標 副詞を使って効果的に強調ができるようになろう！

　ポイントの強調に使える最も簡単なテクニックがこの「副詞の挿入」。第一章でカバーした「たった一語で文を締めるワザ」の応用編です。頻用される語彙が決まっているので、それを覚えて挿入するだけで OK。簡単カンタン。

手順はこれだけ！

　I told you not to be late.

　⬇

　文意にふさわしい強調の副詞を選び、挿入する（この場合は「特にしっかりと」という感じの "specifically"）。

　⬇

　I told you, specifically, not to be late.

STEP 1　解答

1　In particular, I want to know the feasibility of constructing a pipeline in Afghanistan.
　（私は、特に、アフガニスタンにおけるパイプライン建設の実行可能性を知りたい）

2　The trees are lovely this time of year. Especially in the park.
　（一年の今ごろは木々が美しい。とりわけ公園では）

3　The chances of your getting the job are very good, I think.
　（キミがその仕事を得るチャンスはとてもあると思う）

4　I am absolutely positive that Ian didn't mean to hurt you.
　（Ian がキミを傷つけるつもりはなかったことは絶対に確かです）

5　I felt utterly confused with Mr. Bean since he changed his attitude toward me every minute.
　（Bean さんには全く混乱させられました、彼が分刻みで私に対する態度を変えるので）

STEP 2 強調の副詞を使って英作文をしてみよう！

1 私は、特に、韓国語に興味があります。

  特に　in particular　　韓国語　Korean

2 私たち留学生にとって、White さんは非常に親切で助けになりました。

  留学生　international students
  助けになる　helpful

3 中華料理が日本食と根本的に異なるという事実を知る西洋人はあまり多くないようだ。

  根本的に異なる　radically different

STEP 3 強調の副詞を使って、さっそくメールを書いてみよう！

オレは絶対、今夜のパーティに行くよ。絶対にな。お前もだろ？
Vince

 most definitely　絶対に（definitely の強調形）

学校をやめてヒッピーみたいに生きるなんて全くナンセンスだよ。そんな極端な変更をする前にしっかり考えるんだな。
Bill

 think twice.　二度考える

お嬢さんの精神病に対するあなたの反応は全く当然です。ご自身が過剰反応をしているかもしれないとお考えかもしれませんが、そんなことはないと保証します。明後日、これについて更に話し合いましょう。
敬具
Marlon Gates

 mental disorder　精神病　　overreact　過剰反応する

テクニック① 強調①…強調の副詞

STEP 2 解答

1 I am interested in Korean, in particular.
 (← I am interested in Korean.)

2 Mr. White was extremely nice and helpful to us international students.
 (← Mr. White was nice and helpful to us international students.)

3 Not too many Westerners seem to know the fact that Chinese food is radically different from Japanese food.
 (← Not too many Westerners seem to know the fact that Chinese food is different from Japanese food.)

STEP 3 解答

I'm **definitely** going to the party tonight. Most definitely. You too, right?
Vince

It makes **absolutely** no sense to quit school and live like a hippie. Think twice before you make such a radical change.
Bill

Your response to your daughter's mental disorder is **completely** natural. You might be wondering if you are overreacting, but I assure you that you aren't. Let's discuss this further the day after tomorrow.
Sincerely,
Marlon Gates

テクニック 2 強調②…構文

You said, "I want to stay home."
「家にいたい」とあなたは言いました。

➡ **It** is you **who** said, "I want to stay home."
あなたですよ、「家にいたい」と言ったのは。

もとの文はココがイマイチ	➡	このワザでこう解決！
1 「『家にいたい』とあなたが言った」という事実の単純な描写に過ぎない（ただし、"YOU said" と you を強く発音すれば、話し言葉では十分強調になる）。		→ it is you で文を始めることによって、「あなたですよ」とまず強調することができる。

STEP 1 強調のための構文を使って文を書き換え、ニュアンスの違いを確認しよう！

1 That you don't believe in God shows a lack of imagination.
（あなたが神を信じていないことは、想像力の欠如を示しています）

2 You have to wait.
（あなたは待たねばなりません）

3 Clean water and sufficient food are urgently needed.
（きれいな水と十分な食料が緊急に必要です）

4 Mr. Nagoshi was found dead in the Mississippi River early this morning.
（今朝ミシシッピ川で Nagoshi さんが死んでいるのが見つかった）

5 One of my uncles was born on the fifteenth of August of 1945.
（1945 年の 8 月 15 日に私の叔父の一人が生まれました）

テクニック② 強調②…構文

目標 構文を使って効果的に強調ができるようになろう！

「構文」というと堅苦しくて難しそうですが、「効果的なものの言い方」と考えれば少し気が楽になると思います。強調したいことはできるだけ文頭近くで言うのが原則。つまり、語順の倒置をおこなうということです。ところが、単純に語順を替えればすむとは限りません。なぜなら、英語には「主語＋動詞」を中心とする基本構造があり、それを無視すると文意が通らなくなってしまうからです。そこで、倒置の際には、この基本ルールと矛盾しない体裁に文をととのえるために構文が登場するというわけです。

手順はこれだけ！

You said, "I want to stay home."

⬇

強調のために適切な構文を選ぶ。

⬇

例文は it を使った強調構文（it と関係代名詞 who で you をはさむことによって強調。その他の構文は、STEP 1 の 2, 3 などを参照）。

⬇

It is you who said, "I want to stay home."

STEP 1　解答

1　It shows a lack of imagination that you don't believe in God.
（想像力の欠如を示していますよ、あなたが神を信じていないことは）

2　All you have to do is wait.
（あなたがせねばならないのは、待つことだけです）

3　What's urgently needed are clean water and sufficient food.
（緊急に必要なのは、きれいな水と十分な食料です）

4　It was Mr. Nagoshi who was found dead in the Mississippi River early this morning.
（Nagoshi さんでした、今朝ミシシッピ川で死んでいるのが見つかったのは）

5　It happened to be the fifteenth of August 1945 when one of my uncles was born.
（偶然にも 1945 年の 8 月 15 日です、私の叔父の一人が生まれたのは）

STEP 2 強調のための構文を使って英作文をしてみよう！

1 最も純粋な者が常に最も苦しむ。

　　純粋な　pure　　苦しむ　suffer

2 重要なのは業界の誰を知っているかだ、もしお前がショービジネスの世界で成功したいのなら。

　　重要なのは〜だ　what counts is 〜

3 あなたを魅力的にするのは、身体的な外観ではなく人格です。

　　魅力的な　attractive　　身体的な外観　physical appearance
　　人格　personality

STEP 3 強調のための構文を使って、さっそくメールを書いてみよう！

> ボクらがしなければならないのは、座ってちゃんと話すことだけさ。明日の朝、そっちに行ってもいい？
> Theo

> Dean
> ちょっと言わせてくれ。親切な言葉ではなく誠実な態度なんだぞ、人が動かされるのは。最近お前の人との接し方を見ていて、これを言っとかなきゃって強く思ってな。
> Mike

　　sincere attitudes　誠実な態度　　interact　（人と）関わる、接する

> 適切な決断でした、我が社を半分に縮小したのは。これによって組織効率と生産性が飛躍的に向上することを願っています。
> それでは。
> Pat

　　an appropriate decision　適切な決断　　downsize　縮小する
　　organizational efficiency　組織効率　　productivity　生産性

STEP 2 解答

1 It is always the purest who suffers the most.
   (← The purest always suffers the most.)

2 What counts is who you know in the industry. Never forget that if you want to succeed in show business.
   (← Who you know in the industry counts most. Never forget that if you want to succeed in show business.)

3 What makes you attractive is not your physical appearance but your personality.
   (← It's not your physical appearance but your personality that makes you attractive.)

STEP 3 解答

All we have to do is sit and talk. Can I come over tomorrow morning?
Theo

Dean,
Let me tell you something. **It** is not by kind words but by sincere attitudes **that** people are moved. Having seen the way you interact with people these days, I strongly feel that I need to tell you this.
Mike

It was an appropriate decision **that** we downsized our company by half. I hope this will boost the organizational efficiency and productivity.
Regards,
Pat

テクニック 3 譲歩

I will go skiing tomorrow.
明日、スキーに行きます。

→ **Even if** it snows heavily, I will go skiing tomorrow.
ひどく雪が降っても、明日、スキーに行きます。

もとの文はココがイマイチ	→	このワザでこう解決！

1 「明日スキーに行く」という単純な意思表示に過ぎない。 | even 節の挿入で、「たとえひどく雪が降っても」という決意が伝わる。

2 STEP 1 の 4 や 5 のような「A であるにもかかわらず B である」という表現は、A と B とのギャップを強調するのに効果的。

STEP 1　譲歩を意識して文を書き換え、ニュアンスの違いを確認しよう！

1 The thief will be caught and punished.
（その泥棒は、捕まり罰せられるだろう→「キミの車を盗んだのが誰であれ、捕まり罰せられるだろう」に）

2 I will succeed in my business.
（私はビジネスで成功する→「私はビジネスで成功する、たとえ何が必要であろうとも」に）

3 You will have to do your homework.
（お前は宿題をしなければならない→「お前は宿題をしなければならない、好むと好まざるとにかかわらず」に）

4 Mr. Yanagi kept calling Mr. Kawamoto "shachou."
（Yanagi さんは Kawamoto さんを「社長」と呼び続けた→「Yanagi さんは Kawamoto さんを「社長」と呼び続けた、彼がその地位にもはやないにもかかわらず」に）

テクニック ③ 譲歩

目標 「たとえ～でも」と強調できるようになろう！

譲歩表現の根本にあるのは、「Aという条件ならば通常Bしないはずだが、それでもあえてBする」という発想。ココをしっかりとつかむことがポイントです。例文ならば、「ひどく雪が降る」がA、「明日スキーに行く」がB。「ひどく雪が降る」という条件ならば、通常は「スキーには行かない」のだが、あえて「行く」。だから、効果的な強調となるんですね。以下の実例も、言葉こそ違え、根っこは全て同じ。ほら、大丈夫！

手順はこれだけ！

I will go skiing tomorrow.

⬇

譲歩を導く語句を使って、句や節を挿入する（この場合は even if。他の頻用表現は、以下の実例を参照）。

⬇

Even if it snows heavily, I will go skiing tomorrow.

STEP 1　解答

1　Whoever it was who stole your car will be caught and punished.
（キミの車を盗んだのが誰であれ、捕まり罰せられるだろう）

2　I will succeed in my business, no matter what it takes.
（私はビジネスで成功する、たとえ何が必要であろうとも）

3　You will have to do your homework, whether you want to or not.
（お前は宿題をしなければならない、好むと好まざるとにかかわらず）

4　Mr. Yanagi kept calling Mr. Kawamoto "shachou," even though he wasn't in that position anymore.
（Yanagi さんは Kawamoto さんを「社長」と呼び続けた、彼がその地位にもはやないにもかかわらず）

5 The average American seems to be content with what they have.
(平均的なアメリカ人は自分が持っているものに満足しているようだ→「貧富の差が拡大してさえいるという事実にもかかわらず、平均的なアメリカ人は自分が持っているものに満足しているようだ」に)

STEP 2 譲歩を意識して英作文をしてみよう！

1 我々の最善の努力にもかかわらず、その赤ん坊はたった三日しか生きなかった。
　　〜にもかかわらず　despite

2 私がどれだけ一所懸命働いても、上司は決して私を誉めてくれない。
　　どれだけ〜しても　however　　誉める　praise

3 スター選手が次々にアメリカへと流出しているが、日本において野球はまだ最も人気のあるプロスポーツである。
　　スター選手　star players　　流出する　flow out

STEP 3 譲歩を意識して、さっそくメールを書いてみよう！

あなたがどこへいこうと、私たちは友達のままだから。
連絡を取りおうね。
Anna

　　remain friends　友達のままでいる

コンピュータがどんなものか、オレはよく分かってるよ。問題が大したことないように見えても、見えないところで何かがうまく行ってないって保証する。信用しすぎちゃだめだぜ。
Josh

　　underneath the surface　水面下では、深層では

経済が現在のペースで成長し続ければ、中国のGDPは日本にまもなく追いつくでしょう。それにより、中国は日本にとって更に重大な脅威となります。私たちに準備ができていようといまいと。
Akira

　　at the current pace　現在のペースで　　catch up　追いつく　　threat　脅威

5 Despite the fact that the disparity between the rich and the poor is becoming even greater, the average American seems to be content with what they have.
(貧富の差が拡大してさえいるという事実にもかかわらず、平均的なアメリカ人は自分が持っているものに満足しているようだ)

STEP 2 解答

1 Despite our best effort, the baby lived for only three days.
(← The baby lived for only three days.)

2 However hard I work, my boss never praises me.
(← My boss never praises me.)

3 Although star players are flowing out to America one after another, baseball is still the most popular professional sport of Japan.
(← Baseball is still the most popular professional sport of Japan.)

STEP 3 解答

> **No matter where** you go, we will remain friends.
> Stay in touch,
> Anna

> I know how computers are. **Even if** the problem seems minor, I guarantee you there is something wrong underneath the surface. Don't trust them too much.
> Josh

> If its economy continues to grow at the current pace, China's GDP will soon catch up with Japan's. It will make China an even greater threat to Japan, **whether** we are ready for it **or not**.
> Akira

テクニック 4 反語

I don't want to go with Jimmy.
Jimmyと一緒に行きたくない。

> ➡ **Who wants** to go with Jimmy?
>   誰がJimmyと一緒に行きたがる？

	もとの文はココがイマイチ ➡	このワザでこう解決！
1	「行きたくない」という単純な意思表示に過ぎない。	「反語」の使用によって、直接「行きたくない」とは言っていないにもかかわらず、それが言外に明らかとなる。
2	「私は行きたくない」という個人的な意思表示という印象を与える。	「誰が〜」と反語表現にすれば、私個人の問題ではなくてJimmyの方に問題があるとの認識が示される。

STEP 1 反語を使って文を書き換え、ニュアンスの違いを確認してみよう！

1. I can't keep three jobs and raise four babies all by myself.
   （三つの仕事をしながら四人の赤ん坊を自分一人で面倒見ることはできない→「誰が、三つの仕事をしながら四人の赤ん坊を一人で面倒見ることができる？」に）

2. You can't buy a computer for 1000 yen.
   （1000円でコンピュータは買えません→「世界中のどこで、コンピュータが1000円で買えるんだ？」に）

3. I just deleted the file for the paper I have to turn in tomorrow. I wasn't thinking.
   （明日出さなければならないレポートをたったいま消してしまいました。私はちゃんと考えていませんでした→「明日出さなければならないレポートをたったいま消してしまいました。私は何を考えていたんでしょう…」に）

4. I don't want to go out of my way to save Andy from his own mess.
   （Andy自身が掘った墓穴から彼を救い出してやろうとわざわざ骨折る気はない→「どうして、Andy自身が掘った墓穴から彼を救い出してやろうと骨折らなきゃならないんだ？」に）

テクニック ④ 反語

目標 反語を使って「～だろうか？ そんなわけがない！」と強調できるようになろう！

お待たせしました。高等テクニックの一つ、「反語」の登場です。この技術は、言葉の通り「本当に言いたいことと反対のことをあえて質問する」ことがその柱。例文ならば、言いたいのは、「Jimmy と一緒に行きたくない」ということ。これを「誰が行きたい？」とあえて疑問形にし、「誰も行きたいわけがない」と強く示唆するわけです。にもかかわらず、「行かない」という最も言いたくないこと、いいにくいことを自分では一言も言っていない。口にしたのは、あくまでも「誰が行きたい？」だけ。ほとんど反則と言ってもいいような、実に巧みな表現方法なのです。

手順はこれだけ！

I don't want to go with Jimmy.

⬇

反語の疑問文は疑問詞を活用するのが一般的（この場合「誰が行きたがるだろうか→誰も行きたがらない」とするために、疑問詞 who を使う）。
基本的に、普通の疑問詞疑問文と同じルールに従えばよい（この場合も主語を who にした疑問文と同じ）。

⬇

Who wants to go with Jimmy?

STEP 1 解答

1 Who can keep three jobs and raise four babies all by themselves?
（誰が、三つの仕事をしながら四人の赤ん坊を一人で面倒見ることができる？）

2 Where in the world can you buy a computer for 1000 yen?
（世界中のどこで、コンピュータが 1000 円で買えるんだ？）

3 I just deleted the file for the paper I have to turn in tomorrow. What was I thinking?
（明日出さなければならないレポートをたったいま消してしまいました。私は何を考えていたんでしょう…）

4 Why should I go out of my way to save Andy from his own mess?
（どうして、Andy 自身が掘った墓穴から彼を救い出してやろうと骨折らなきゃならないんだ？）

5 Economic growth and environmental conservation cannot be realized at the same time.
(経済成長と環境保全は同時に実現できない→「どうやれば経済成長と環境保全を同時に実現できるっていうんだ？」に)

STEP 2 反語を使って英作文をしてみよう！

1 どうやったら、一日で1000ページも読み終えられるというのだ？

2 自国の経済がめちゃめちゃな時期に、どの国が他国を援助するというのだ？
　　　自国の経済　one's own economy　　援助する　aid

3 地球上のどこで、お前に3000ドルも貸すほどバカなやつに出会うことを期待できるというんだ？
　　　貸す　lend　　期待する　expect

STEP 3 反語を使って、さっそくメールを書いてみよう！

Heathの申し出は無視するのよ。そもそも誰が彼の助けなんかいるの？
Lisa

　　ignore　無視する

私の上司は、大切な仕事の告知がいつもぎりぎりなの。二日で何がまとめられるっていうのよ？　ああもう、あんな上司、大嫌い。
Violet

　　short notice　ぎりぎりの告知　　put together　まとめる

いまだに不況である時期に相当な額を投資することについてのあなたの懸念は分かります。しかしながら、経済が復興して誰もかもが利益を得始めるまで待つ必要がどこにあるのでしょうか？　明日の朝一番にお電話差し上げます。
Barry

　　concern　懸念　　considerable amounts　相当な額
　　bounce back　復興する、(跳ね返って) 元に戻る

5 How can economic growth and environmental conservation be realized at the same time?
（どうやれば経済成長と環境保全を同時に実現できるっていうんだ？）

STEP 2 解答

1 How can you possibly finish reading 1000 pages in a day?
(← You can't possibly finish reading 1000 pages in a day.)

2 What country would aid others when its own economy is in ruins?
(← No country would aid others when its own economy is in ruins.)

3 Where on earth can you expect to meet a person who is stupid enough to lend you 3000 bucks?
(← You can't expect to meet a person who is stupid enough to lend you 3000 bucks.)

STEP 3 解答

Ignore Heath's offer. **Who needs** his help anyway?
Lisa

My boss always gives me such short notice on important jobs. **What can I put together** within two days? God, I hate him.
Violet

I understand your concern about investing considerable amounts when we are still in recession. However, **why should we wait** until the economy bounces back and everyone else starts making a profit? I will call you first thing tomorrow morning.
Barry

テクニック 5 倒置

Summer comes after spring.
夏は春の後に来る。

→ **After spring** comes summer.
　春の後に夏は来る。

もとの文はココがイマイチ	➡	このワザでこう解決！
1 「夏が春の後に来る」という単純な記述にすぎない。		倒置を使って"after spring（春の後に）"を文頭に出すことによって、「春」のほうに力点が移るので、例えば「ようやく春が過ぎた後に」「春というものがまず来てからその後に」などという含みが出てくる。

STEP 1 倒置を使って文を書き換え、ニュアンスの違いを確認しよう！

1　I have never heard George say he was sorry.
　（George がごめんなさいと言うのを一度も聞いたことがない→ never を文頭に）

2　Stanley Kubrick is among the true geniuses in filmmaking.
　（Stanley Kubrick は映画制作の真の天才の一人です→ among the true geniuses in filmmaking を文頭に）

3　I rarely get out of my room and expose myself to the outside world.
　（私はめったに自分の部屋を出て外の世界に自分をさらさない→ rarely を文頭に）

4　I rarely ate out when I was a student because I was almost always broke.
　（学生の時には私はめったに外食しなかった。ほとんどいつも文無しだったので→ rarely を文頭に）

5　Spiritual fulfillment is most essential to human life.
　（魂の充足は人生において最も大切だ→ most essential to human life を文頭に）

テクニック 5　倒置

目標　「倒置」を使って最も強調したいことをはっきりと印象付けることができるようになろう！

「倒置」を苦手とする日本人は多く、これを駆使して英文を書ける人は稀であるように思います。でも、「倒置」とはつまるところ「語順の入れ替え」。なぜそんなことをあえてするのかと言えば、「最も強調したいことを文頭に出すため」です。まずはこれをしっかりとつかんでください。単純に語順を替えられない場合があるのでやや注意が必要ですが、それはあくまでも副次的なこと。「主語と動詞を入れ替える場合」「助動詞を補う必要がある場合」など、一つずつ覚えていけば大丈夫です！

手順はこれだけ！

Summer comes after spring.

⬇

強調したい語句を文頭に出すのが基本（ここでは「春が過ぎれば（春の後に）」を強調したい。

⬇

After spring comes summer.

STEP 1　解答

1　Never have I heard George say he was sorry.
（一度も聞いたことがない。George がごめんなさいと言うのを）

2　Among the true geniuses in filmmaking stands Stanley Kubrick.
（映画制作の真の天才の一人に Stanley Kubrick がいます）

3　Rarely do I get out of my room and expose myself to the outside world.
（めったに、私は自分の部屋を出て外の世界に自分をさらさない）

4　Rarely did I eat out when I was a student because I was almost always broke.
（めったに、学生の時には外食しなかった。ほとんどいつも文無しだったので）

5　Most essential to human life is spiritual fulfillment.
（人生において最も大切なのは魂の充足だ）

STEP 2 倒置を使って英作文をしてみよう！

1 私が Joel について私がいまだに思い出すのは、彼の率直さです。

　　思い出す　recall　　率直さ　candidness

2 我々の心の底の純粋で誠実な部分は、良心と呼ばれます。

　　純粋で誠実な　pure and genuine
　　心の底　the bottom of (our) hearts　　良心　conscience

3 人類史上一度もありませんでした、国家が武力だけで戦闘に勝利したことは。

　　人類史　human history　　武力　weapons　　戦闘　battle

STEP 3 倒置を使って、さっそくメールを書いてみよう！

素晴らしい仏教美術のひとつに、東大寺の大仏があります。私と一緒に見に行きませんか？
Chisa

　Buddhist artwork　仏教美術

明日、私はアパートを出るわ。もう Emily には耐えられなくて。そもそも、一度だって彼女と部屋を共有したいと思ったことなんてないのよ。
Julia

Carol は人物でした。彼女が言ったことで、一つ忘れられないことがあります。それは、「国籍の違いは、個人間の相違に比べたらないようなものである」ということ。彼女の言っていることは正しいと思います。
Felix

　　a character　（面白い、ひとかどの）人物　　nationality　国籍
　　as compared to ～　　～に比べて　　individuals　個人

テクニック 5 倒置

STEP 2 解答

1 One thing I can still recall about Joel is his candidness.
   (← Joel's candidness is one thing I can still recall about him.)

2 The pure and genuine part at the bottom of our hearts is what we call conscience.
   (← What we call conscience is the pure and genuine part at the bottom of our hearts.)

3 Never in human history did a nation win a battle only by means of weapons.
   (← A nation never won a battle in human history only by means of weapons.)

STEP 3 解答

> **Among the greatest Buddhist artwork** is the Giant Buddha of Todai-ji Temple. Do you want to go see it with me?
> Chisa

> I am leaving my apartment tomorrow. I can't stand Emily anymore. **Never had I wanted** to share this room with her in the first place.
> Julia

> Carol was a character. **One thing she told me I shall never forget**: the difference in nationality is nothing as compared to the difference between individuals. I think she is right.
> Felix

テクニック 6 皮肉

It was a bad live jazz performance.
ひどいジャズ演奏だった。

→ **It was probably the best** live jazz performance that I've seen in years.
それはおそらく、この何年もの間で私が見た最高のジャズ演奏だった。

	もとの文はココがイマイチ	→	このワザでこう解決！
1	「ひどい」という評価を直接的に表明しているにすぎない。		あえて「最高」ということによって、「これほどの皮肉を言わせるのだからよほどひどかったに違いない」という印象を言外に与えることができる。

STEP 1 皮肉を使って文を書き換え、ニュアンスの違いを確認しよう！

1 He was so insensible.
（彼はあまりに思慮分別がなかった→「私は彼の思慮深さに相当感銘を受けた」に）

2 Your comment at yesterday's panel discussion was not impressive.
（昨日のパネルディスカッションにおけるあなたのコメントはあまり大したことがなかった→「昨日のパネルディスカッションにおけるあなたのコメントはなかなか大したものだった」に）

3 The stock market has no positive elements.
（株式市場にはいい材料がない→「株式市場にはいい材料がたくさんある」に）

4 Tanya is too lazy to study hard.
（Tanya は怠け者過ぎて一所懸命勉強しない→「Tanya は、私が思うに、頭が良すぎて一所懸命勉強しないのです」に）

5 That movie was so bad that I had to try hard to keep myself from falling asleep.
（その映画はあまりにひどく、私は眠りに落ちないよう懸命に努力せねばならなかった→「その映画はあまりに心地よく、私は眠りに落ちないよう懸命に努力せねばならなかった」に）

テクニック ⑥ 皮肉

目標 皮肉を使ってチクリと刺すことができるようになろう！

「反語」「倒置」と上級者向けのテクニックが続いていますが、これらに勝るとも劣らないのがこの「皮肉」。反語と同じく「本当に言いたいことと反対のことを言う」ことが基本です。日本でも一時期ブームになった「誉め殺し」はその典型。文脈で真意をにおわせるのがポイントです。

手順はこれだけ！

It was a bad live jazz performance.

⬇

皮肉の基本表現を正反対にする（この場合は bad から the best へ）。

⬇

It was the best live jazz performance.

⬇

副詞（句）を適宜補う。

⬇

It was probably the best live jazz performance that I've seen in years.

STEP 1 解答

1. I was quite impressed with his sensibility.
 (私は彼の思慮深さに相当感銘を受けた)

2. Your comment at yesterday's panel discussion was quite impressive.
 (昨日のパネルディスカッションにおけるあなたのコメントはなかなか大したものだった)

3. The stock market has so many positive elements.
 (株式市場にはいい材料がたくさんある)

4. Tanya is, I guess, too smart to study hard.
 (Tanya は、私が思うに、頭が良すぎて一所懸命勉強しないのです)

5. That movie was so relaxing that I had to try hard to keep myself from falling asleep.
 (その映画はあまりに心地よく、私は眠りに落ちないよう懸命に努力せねばならなかった)

STEP 2 皮肉を使って英作文をしてみよう！

1 ロシア文学は私には深すぎる。
　　ロシア文学　Russian literature

2 Tammy はあまりにも魅力的過ぎて、私は電話番号を聞くのをすっかり忘れていた。
　　電話番号　phone number

3 Ross 博士が歴史の授業で言ったことはとても啓蒙的だった。
　　啓蒙的な　enlightening

STEP 3 皮肉を使って、さっそくメールを書いてみよう！

> どうしてオレが Lillie をふったかって？　彼女はオレには良すぎたのさ。それだけ。
> Malcolm

　　That's all.「それだけです」に当たる決まり文句

> 白いマスクをかぶった男の出てくるホラー映画の脚本を書いた？　独創的ね。とても見込みのあるプロジェクトだと思うわ。
> Kay

　　a horror movie　ホラー映画　　promising　見込みのある、有望な

> 私たちの学校についての私の正直な意見を聞いてくれてうれしいわ。あの学校は何もかもが素晴らしいわよ。例えば、わずかばかりのコンピュータが備え付けられた大きな図書館があるでしょ。先生たちはみんな私たちの教育についてあまりにも熱心で宿題なんかほとんど出さないし。あんなに素敵な学校に居れてとても幸せ。私が皮肉を言っているのかどうかあなたがいぶかっているかもしれないかもしれないので付け加えるけど、もちろんそうよ。
> Pola

　　install　備え付ける　　assignments　課題、宿題

テクニック 6　皮肉

ポイントを強調するワザ

STEP 2　解答

1　Russian literature is too deep for me.
　（← Russian literature is not interesting.）

2　Tammy was so attractive that I completely forgot to ask for her phone number.
　（← Tammy was so unattractive that I completely forgot to ask for her phone number.）

3　What Dr. Ross said in history class was very enlightening.
　（← What Dr. Ross said in history class was not enlightening.）

STEP 3　解答

Why did I dump Lillie? **She was just too good** for me. That's all.
Malcolm

You came up with a script for a horror movie with a man in a white mask? **How original!** I think that's **a very promising project**.
Kay

I'm glad you asked for my honest opinion about our school. **Everything about it is great**. For example, it has a big library with only a few computers installed. **The teachers all care so much about our education** that they hardly give us any assignments. I'm so happy to be in **such a wonderful school**. Just in case you are wondering if I'm being sarcastic, of course I am.
Pola

テクニック 7 事実

I love Himeji Castle.
私は姫路城が大好きです。

→ I love Himeji Castle. **In fact**, I went there again last week.
私は姫路城が大好きです。事実、私は先週そこにまた行きました

もとの文はココがイマイチ	→	このワザでこう解決！
1 「大好きである」の程度がはっきりしない。		in fact によって「先週また行った」という事実が導かれ、「それほど好きである」ことがはっきりする。

STEP 1 事実を加えて、文を書き換えよう！

1 America is the only superpower in the world right now.
（アメリカは現在世界で唯一の超大国だ→「事実、その経済は何年も地球上で最大である」を加える）

2 I'm afraid you are wrong.
（残念ながら、あなたは間違っていると思います→「日本の現在のGDPが1990年よりも大きいことは事実ですから」を加える）

3 This is not a piece of art.
（これは芸術品ではありません→「本当のところ、これはごみです」を加える）

4 Over 30,000 people committed suicide in Japan last year.
（三万人以上の人々が昨年日本で自殺しました→「事実を一つ」を加える）

5 Japan's budget for national security is the largest in Asia.
（日本の国防予算はアジアで最大です→「防衛省のデータによれば」を加える）

テクニック 7　事実

> **目標** 事実をはっきりと示すことができるようになろう！

　いかにテクニックを弄しても、事実に勝るものはありません。しかし、事実を唐突に並べ立てても聞き手に届くとは限りません。そこで、それを効果的に導く表現をしっかりと身に付けておくことが必要になります。事実と表現の組み合わせこそ、説得力の源です。

手順はこれだけ！

I love Himeji Castle.

⬇

「事実」を導く語句を選択し（この場合は in fact）、基本的には直後に事実を述べる（この場合は "I went there again last week."）。

⬇

I love Himeji Castle. In fact, I went there again last week.

STEP 1　解答

1　America is the only superpower in the world right now. In fact, its economy has been the largest on earth for years.
（アメリカは現在世界で唯一の超大国だ。事実、その経済は何年も地球上で最大である）

2　I'm afraid you are wrong. It's a fact that Japan's current GDP is bigger than that in 1990.
（残念ながら、あなたは間違っていると思います。日本の現在の GDP が 1990 年よりも大きいことは事実ですから）

3　This is not a piece of art. The truth is, it's a piece of junk.
（これは芸術品ではありません。本当のところ、これはごみです）

4　Here is a fact: over 30,000 people committed suicide in Japan last year.
（事実を一つ。三万人以上の人々が昨年日本で自殺しました）

5　According to the data from the Ministry of Defense, Japan's budget for national security is the largest in Asia.
（防衛省のデータによれば、日本の国防予算はアジアで最大です）

STEP 2 「事実」を使って英作文をしてみよう！

1　Vincent をオレが知ってるかって？　知ってるよ、実際のところ。

　　実際のところ　as a matter of fact

2　中国と北朝鮮を共産主義国として同じ範疇に入れる者があるが、それらは実際には多くの点で根本的に異なっている。

　　北朝鮮　North Korea
　　共産主義国　communist countries
　　範疇　category　　実際には　actually

3　飛行機旅行は年々安全になっている。事実、事故件数は 10 年前よりも大いに少ない。

　　飛行機旅行　traveling by airplane　　年々　year after year
　　大いに　substantially

STEP 3　事実を使って、さっそくメールを書いてみよう！

David

統計ははっきりと示していますよ、イチローがいかに優れた万能選手か。以上。

Sankichi

---

　　statistics　統計　　an all-around player　万能選手
　　Period.　「以上（これまで）」と言い切るときの慣用表現

Tonya

あなたはいつかプロのダンサーになるって言ってたわよね？　そして本当にそうなったわ。あなたのことを誇りに思っています。

Yvonne

世界経済全体が恐慌の淵にあることは明白な事実です。いわゆる「反テロ戦争」は、部分的には、世界経済の縮小を防ぐための大規模な経済政策なのではないかと思います。

Ivan

---

　　on the verge of depression　恐慌の淵にある
　　an extensive economic policy　大規模な経済政策

テクニック 7　事実

STEP 2　解答

1　Do I know Vincent? As a matter of fact, I do.
（← Do I know Vincent? I do.）

2　Some put China and North Korea in the same category because both are communist countries, but actually, they are radically different in many ways.
（← Some put China and North Korea in the same category because both are communist countries, but they are radically different in many ways.）

3　Traveling by airplane is becoming safer year after year. In fact, there are substantially fewer accidents than 10 years ago.
（← Traveling by airplane is becoming safer year after year.）

ポイントを強調するワザ

STEP 3　解答

David,
Statistics clearly show what a great all-around player Ichiro is. Period.
Sankichi

Tonya,
You said you would become a professional dancer one day, and now you have **actually** done it. I am so proud of you!
Yvonne

It's an obvious fact that the world economy as a whole is on the verge of depression. I suspect that what's called the "War On Terrorism" is in part an extensive economic policy to keep the global market from shrinking.
Ivan

テクニック 8 否定語 ①

Utter selfishness is ugly.
全く利己的なのは醜い。

→ **Nothing** is uglier than utter selfishness.
全く利己的なのほど醜いものはない。

もとの文はココがイマイチ	→	このワザでこう解決！

1 「全く利己的なのは醜い」という価値判断を単純に表明したにすぎない。　　否定語 nothing が文頭に出ることで、「（全く利己的なのほど醜いもの）は何もない」と「醜さ」が強調される。

2 否定語 nothing が文頭にあることから、読み手は「否定を含む強調表現」であることを意識しつつ読み進めることができ、誤解の余地が減少する。

STEP 1 否定語を使って文を書き換え、ニュアンスの違いを確認しよう！

1 Home is a great place.
（我が家は素晴らしい場所だ→「我が家のような場所はない」へ）

2 We didn't know what to do.
（私たちはどうすべきか分からなかった→「私たちは誰一人どうすべきか分からなかった」へ）

3 I don't want to live in poverty.
（私は貧困の中で生活したくない→「誰も貧困の中で生活したくない」へ）

4 When it comes to math, you are great.
（数学となると、キミはすごい→「数学となると、ボクはキミのレベルにまるで及ばない」へ）

5 I entered the conference room, and the meeting began right after.
（私は会議室に入り、そして直後に会合が始まった→「私が会議室に入るやいなや、会合が始まった」へ）

テクニック 8　否定語①

> **目標**　否定語を使って「～ない」と効果的に強調できるようになろう！

　否定は、しなくていいならしないもの。ですから否定文をあえて書く場合は、それなりの理由があるはず。当然「否定の意志」をできるだけ明確にする必要がある場合も少なくありません。そこで否定語の出番。まずあらゆる否定語の根本である no という言葉をしっかりと把握することから始めて下さい。以下の実例は全てそのバリエーションに過ぎないのですから。

手順はこれだけ！

Utter selfishness is ugly.

⬇

否定語を活用して文中のどの要素を強調できるか見極める（この場合は ugly を強調するために、否定語を活用して「～より醜いものは何もない」とすることができる。他は以下の実例を参照）。

⬇

nothing を文頭に文を書き換える。

⬇

Nothing is uglier than utter selfishness.

STEP 1　解答

1　There is no place like home.
　（我が家のような場所はない）

2　None of us knew what to do.
　（私たちは誰一人どうすべきか分からなかった）

3　Nobody wants to live in poverty.
　（誰も貧困の中で生活したくない）

4　When it comes to math, I'm nowhere near your level.
　（数学となると、ボクはキミのレベルにまるで及ばない）

5　No sooner had I entered the conference room than the meeting began.
　（私が会議室に入るやいなや、会合が始まった）

STEP 2　否定語を使って英作文をしてみよう！

1　今日は何一つ達成されなかった。

　　何一つ〜ない　Nothing is 〜　　達成する　accomplish

2　正しいことと間違っていることの違いは誰もが分かっていたが、誰も何も言わなかった。

　　誰も〜を言わない　Nobody says 〜

3　クラスの他の男子は誰一人 Faye に興味を持っていないようだったが、彼女はかわいいと私は思った。

　　クラスの他の男子は誰一人〜ない　None of the boys in the class 〜

STEP 3　否定語を使って、さっそくメールを書いてみよう！

Morris

何一つ、あなたの専門知識なしにはできません。どうか助けてください。
よろしく。

Todd

---

　　expertise　専門知識・技術

テロリズムに関するニュースや反テロ宣伝を見ていると神が天国から降りてきて私たちみんなを救ってくれなければ大破局を避けるために私たちができることは何もないような気になります。気が滅入るね。

Lee

---

　　anti-terrorist propaganda　反テロ宣伝　　catastrophe　大破局
　　depressing　気が滅入るような

Jack

私が Matt の議論の不当性を指摘するや否や、彼は私に対して怒鳴り始めたの。彼がいかに子供っぽいかは知っていたけど、あれはひどすぎたわ。しばらく彼とは距離を置くつもり。

Sarah

---

　　point out　指摘する　　invalidity　不当性

STEP 2 解答

1 Nothing was accomplished today.
   (← We didn't accomplish anything today.)

2 Nobody said anything, even though everybody knew the difference between right and wrong.
   (← We didn't say anything, even though everybody knew the difference between right and wrong.)

3 None of the other boys in the class seemed interested in Faye, but I thought she was cute.
   (← My classmates seemed not to be interested in Faye, but I thought she was cute.)

STEP 3 解答

Morris,
Nothing can be done without your expertise. Please help us out.
Thanks,
Todd

Watching news on terrorism and anti-terrorist propaganda, I feel like there is **nothing** we can do to avoid catastrophe unless God comes down from heaven and saves us all! How depressing...
Lee

Jack,
No sooner had I pointed out the invalidity of his argument when Matt started yelling at me. I had always known how childish he was, but that was very bad. I guess I'm going to stay away from him for a while.
Sarah

テクニック9 否定語②…より強力な否定語

Don't do that again, or I will leave you.
二度としないで。さもなければ私はあなたのもとを去ります。

→ **Never** do that again, or I will leave you.
絶対に二度としないで。さもなければ私はあなたのもとを去ります。

もとの文はココがイマイチ	→	このワザでこう解決！
1 「二度としないで」という部分に、もう少し重みが欲しい。		強力な否定語である never を使うことによって、「絶対にするな」という重みが加わる。

2 never の使用によって、「憤り」「不快感」などが言外に強く示される。

STEP 1 強力な否定語を使って文を書き換え、ニュアンスの違いを確認しよう！

1 Have I ever broken my word with you? I haven't.
（私が約束を守らなかったことがありますか？　ありません→「絶対にありません」に）

2 Will I help you out with your homework again? I will not.
（お前の宿題をまた手伝うかって？　手伝わないよ→「絶対手伝わないよ」に）

3 I haven't said such a horrible thing to my own mother.
（自分の母に対してそんなひどいことは言ったことはありません→「言ったことは一度もありません」に）

4 Don't turn off your computer without backing up your files.
（ファイルのバックアップを取らずにコンピュータを消さないように→「絶対に消さないように」に）

5 I haven't apologized to my wife, though I've said "I love you" millions of times.
（妻には何回となく「愛してるよ」と言ったが、謝ったことはない→「一度たりとも謝ったことはない」に）

テクニック⑨　否定語②…より強力な否定語

目標　「絶対に〜ない」と強く否定できるようになろう！

「ない」という否定語と相性が良いのが「絶対に」という副詞。「絶対にしていない」という潔白の主張や、「絶対にするな」という全面的な禁止に否定文が使われる機会が多いのがその理由でしょう。このような表現の濫用は慎むべきですが、状況に応じて硬軟を使い分けるのはコミュニケーションの基本。必要かつ適切な場合には、積極的に活用してください。

手順はこれだけ！

Don't do that again, or I will leave you.

⬇

強力な否定語で強調する語句を決める（この場合は don't を更に強めたい）。この場合は never が適切（その他は以下の実例を参照）。

⬇

Never do that again, or I will leave you.

STEP 1　解答

1　Have I ever broken my word with you?　Never!
（私が約束を守らなかったことがありますか？　絶対にありません）

2　Will I help you out with your homework again?　Absolutely not.
（お前の宿題をまた手伝うかって？　絶対手伝わないよ）

3　I have never said such a horrible thing to my own mother.
（自分の母に対してそんなひどいことは絶対に言っていません）

4　Never, ever turn off your computer without backing up your files.
（絶対に、ファイルのバックアップを取らずにコンピュータを消さないように）

5　Never have I apologized to my wife, though I've said "I love you" millions of times.
（妻には何回となく「愛してるよ」と言ったが、一度たりとも謝ったことはない）

STEP 2 強力な否定語を使って英作文をしてみよう！

1 お前のスピード違反の切符のために金を貸してやるかって？　絶対に貸さないよ。

　　スピード違反の切符　a speeding ticket　　絶対に　absolutely

2 私はJasonをとても長く知っているのに、彼があなたの兄弟だなんて一度も気づかなかったわ。

　　一度も気づかなかった　never even thought

3 決して私は一所懸命勉強しなかった。両親が私にそうして欲しいと望んでいたことは知っていたが。

　　決して～しなかった　Never have I ～

STEP 3 強力な否定語を使って、さっそくメールを書いてみよう！

オレが浮気したことあるかって？　一度も！
Quince

Mayumi
絶対に、イタリアでは公衆の面前で財布を見せないように。5分以内に誰かが盗もうとするって保証するよ。冗談言ってるんじゃないからな。
Vitto

　　expose　（表に）さらす　　in public　公の場所で

間違ったことだと知りながら、一度たりとも私は寝たきりの祖父を見舞いに行ったことがない。今や彼は死んでしまっており、彼のために私ができることは何もない。本当に胸が痛む。
Tiny

　　bed-ridden　寝たきりの

テクニック⑨　否定語②…より強力な否定語

STEP 2　解答

1 Will I lend you money for your speeding ticket? Absolutely not.
　(← Will I lend you money for your speeding ticket? I will not.)

2 I have known Jason for so long, but I had never imagined that he was your brother.
　(← I have known Jason for so long, but I hadn't suspected that he was your brother.)

3 Never have I studied hard, even though I knew my parents wanted me to.
　(← I haven't studied hard, even though I knew my parents wanted me to.)

STEP 3　解答

Have I cheated on you? **Never!**
Quince

Mayumi,

Never, ever expose your wallet in public in Italy. I guarantee you someone will try to steal it within five minutes. I'm not kidding.
Vitto

Never have I gone to see my bed-ridden grandfather, though I knew it was wrong. Now that he is dead, there is nothing I can do for him. It really hurts.
Tiny

テクニック 10　主語を意図的に選択する

We enjoyed driving at night.
私たちは夜のドライブを楽しんだ。

➡ Driving at night is fun.
夜のドライブは楽しい。

もとの文はココがイマイチ	➡	このワザでこう解決！
1 「夜のドライブを楽しんだ」ことは「私たち」の個人的な体験でしかない		主語が"driving at night"なので、個人的な体験を超えた普遍性のあるコメントとなっている。

STEP 1　主語を変えて、ニュアンスの違いを確かめよう！

1　I didn't like his attitude.
（私は彼の態度が気に入らない→「彼の態度は癪に触る」に）

2　We worry about the situation.
（我々はその状況について心配している→「その状況は本当に重大だ」に）

3　As I saw the setting sun, I remembered the good old days.
（夕陽を見ながら、私は旧き良き日を思い出した→「夕陽は私に旧き良き日を思い出させた」に）

4　I decided not to drive anymore because the traffic accident was so terrible.
（その交通事故はあまりにひどかったので、私はもう車の運転をしないことに決めた→「その交通事故は、私にもう車の運転をしないと決めさせるのに十分なほどひどかった」に）

テクニック⑩　主語を意図的に選択する

目標　伝えたいニュアンスに応じて主語を変えられるようになろう！

「私は映画が好きです」と「映画は面白い」では、当然ニュアンスが異なります。日本語ならば誰でもすぐに分かることですが、英語で話す場合には、ついIを主語にして全てを済ませてしまうがちです。事実、そのような場面になったら、誰もが"I like movies."とまず言ってしまうもの。主語をIにするのは「自分の顔を見えるようにする」という重要な機能があります。しかし、同時に、主語をI以外のものに替える努力をすると、それだけで表現の幅がぐんと広がり、ニュアンスをよりきちんと伝えられるようになり、英語力が必ず向上します。この項では、特に三人称の主語の活用法に焦点を当てて学びましょう。

手順はこれだけ！

We enjoyed driving at night.
⬇
主語を we という個人的なものから "driving at night" と言う一般的なものに変更する。
⬇
それに応じて動詞部分も変更する。
⬇
Driving at night is fun.

STEP 1　解答

1　His attitude got on my nerves.
　（彼の態度は癪に触る）

2　The situation is really grave.
　（その状況は本当に重大だ）

3　The setting sun reminded me so much of the good old days.
　（夕陽は私に旧き良き日を思い出させた）

4　The traffic accident was terrible enough to make me decide not to drive anymore.
　（その交通事故は、私にもう車の運転をしないと決めさせるのに十分なほどひどかった）

5 I'm stuck due to the stagnant economy.
   (停滞する経済のせいで私は身動きが取れない→「経済はかつてないほど停滞している」に)

STEP 2 主語を意図的に選択して、英作文をしてみよう！

1 日本文化の代表例はお茶である。
   代表例　a perfect example

2 親切であることは信用できることを必ずしも意味しない。

3 問題は、我々がその会社を買収するリスクを負うべきかどうかだ。
   買収する　buy out

STEP 3 主語を意図的に選択して、さっそくメールを書いてみよう！

> Jade、我々の誰もが、あなたがどれほど一所懸命働いているかを知っています。しかしながら、勤勉であることだけでは、あなたのもののような専門職には十分ではないのです。勤勉な仕事の成果こそが、我々が見たいと期待しているものなのですが、我々はそれをまだ見てはおりません。だからこそ、あなたの給与は今回上がらなかったのです。何かはっきりしないことや、不公平だと感じることがあったら、私にお知らせください。あなたの言いたいことが何であれ、耳を傾けます。
> Sammy

   each and every one of us　我々の誰も
   profession　専門職

5 The economy is more stagnant than ever.
（経済はかつてないほど停滞している）

STEP 2 解答

1 A perfect example of Japanese culture is tea ceremony.
   (← I think tea ceremony is a perfect example of Japanese culture.)

2 Being nice doesn't necessarily mean being reliable.
   (← He seems nice, but I don't know if he is reliable.)

3 The question is whether we take the risk of buying the company out or not.
   (← I'm wondering if we should take the risk of buying the company out.)

STEP 3 解答

Jade, each and every one of us knows how hard you have been working. However, **being diligent** is not enough for a profession like yours. **The fruit of your diligent work** is what we have been expecting to see, but haven't. That's why you didn't get a raise this time. If there is anything unclear or you find unfair, just let me know. I will listen to whatever you have to say.
Sammy

Chapter 6
表現を生き生きとさせるワザ

テクニック 1 形容詞（句）を加える

Smoking is regarded as a bad habit.
喫煙は悪習とみなされている。

→ Smoking is regarded as a bad habit, **not suitable for minors.**
喫煙は未成年者にふさわしくない悪習とみなされている。

	もとの文はココがイマイチ	→	このワザでこう解決！
1	「悪習」の部分に具体性が欲しい。		not suitable for minors の挿入によって、「未成年者にふさわしくない悪習」と具体化がなされ、より生き生きとした表現になる。

STEP 1 形容詞（句）を使って文を書き換え、より具体的になったか確認しよう！

1 There is nothing.
   （何もない→「絶対的に正しいものも、間違っているものも、何もない」に）

2 Castor's store sells huge dolls.
   （Castorの店は大きな人形を売っている→「Castorの店は丈が5フィートほどもある大きな人形を売っている」に）

3 There is a car.
   （そこに車がある→「この三日間私の事務所の目の前にとまっている車がある」に）

4 Who was that guy?
   （あの男、誰だったっけ？→「今夜あのバーのカウンターの向こう側から私たちに微笑みかけてたあの男、誰だったっけ？」に）

5 Jimmy has a car.
   （Jimmyは車を持っている→「Jimmyは最新型の車を持っている」に）

テクニック① 形容詞(句)を加える

> **目標** 形容詞句を使って名詞を効果的に膨らませることができるようになろう！

「表現を生き生きさせる」とは、こちらの言いたいことが読み手の目に浮かぶようにすること。そのためには具体性に富んだ描写が不可欠です。まずは文中の名詞を膨らませることからはじめます。形容詞がその担い手。ここでは、関係代名詞などを伴わない最も単純な形の形容詞句をカバーします。

手順はこれだけ！

Smoking is regarded as a bad habit.

⬇

例文の場合、"a bad habit（悪習）"を更に具体化するために"not suitable for minors（未成年者にふさわしくない）"を追加する（基本的に、形容詞句は被修飾語の直後に追加される）。

⬇

Smoking is regarded as a bad habit, not suitable for minors.

STEP 1 解答

1 There is nothing absolutely right or wrong.
（絶対的に正しいものも、間違っているものも、何もない）

2 Castor's store sells huge dolls about five feet tall.
（Castor の店は丈が5フィートほどもある大きな人形を売っている）

3 There has been a car parked right in front of my office for the last three days.
（この三日間私の事務所の目の前にとまっている車がある）

4 Who was that guy smiling at us from the other side of the counter at the bar earlier tonight?
（今夜あのバーのカウンターの向こう側から私たちに微笑みかけてたあの男、誰だったっけ？）

5 Jimmy has a car of the latest model.
（Jimmy は最新型の車を持っている）

STEP 2 形容詞（句）を使って英作文をしてみよう！

1 青い空と白い雲によって引きたてられている山頂からの眺めを私は楽しんだ。
    山頂　the mountaintop　　眺め　a view

2 我々は、我が社のような新しく小さな会社にとって理想的ではない状況にいる。
    理想的な　ideal

3 この五年で初めて日本に帰国したとき、国中でとても人気のあるサルサダンスなどのラテンアメリカ文化の存在に驚いた。
    ラテンアメリカ文化　Latin American culture
    存在　presence

STEP 3 形容詞（句）を使って、さっそくメールを書いてみよう！

> キミに対して不敬の念を表す気はなかったんだ。ボクはただ、人にああしろとかこうするなとか言われるのが嫌いなんだ。それだけだよ。
> Vincent

　　disrespect　不敬の念

> 私が水前寺公園を散歩していたとき、男がどこからともなく現れて、全面赤く塗られた箱を私に渡したの。中に何が入っているのか、ちょっと気になるのよね。来て、一緒にこれを開けない？
> Stella

> Nakajima さま、
> 貴社が経験しておられる困難について聞き及び、気の毒に思っております。しかしながら、ご存知のように、日本ではこの瞬間にも無数の会社が倒産しております。従いまして、我々の会社が存続している限り、ありがたく思うべきでしょう。私は本当にそう感じております。あまり悲観なさらないで下さい。そして、共に一所懸命に働き続けましょう。ご支援できることがあれば何でも、喜んで最善を尽くさせていただきます。
> 敬具
> Steven Roma

　　innumerable　無数の　　going bankrupt　倒産する　　pessimistic　悲観的な

STEP 2 解答

1 I enjoyed the view from the mountaintop complemented by the blue sky and white clouds.

2 We are in a situation not ideal for a new and small company like ours.

3 When I came back to Japan for the first time in five years, I was surprised at the presence of Latin American culture such as salsa dancing becoming so popular all over the country.

STEP 3 解答

I meant no disrespect to you. I just don't appreciate anybody **telling me what to do or not to do**. That's all.
Vincent

When I was taking a walk in Suizenji Park, a guy came out of nowhere and gave me a box **painted all red**. I'm kind of curious to know what's in it. Do you want to come and open it with me?
Stella

Dear Mr. Nakajima,
I am sorry to hear about the difficulty your company is going through. However, as you know, there are innumerable companies in Japan **going bankrupt at this very moment**. Therefore, we should be grateful as long as we are still in business. That really is how I feel about my own business now. Please don't be too pessimistic, and let's continue working hard together. I will gladly give my best if there is anything I can do to assist you.
Sincerely,
Steven Roma

テクニック 2　実例を挙げる

I like Japanese food.
私は日本食が好きです。

➡ I like Japanese food **like** *sushi* and *sashimi*.
　私は寿司や刺身のような日本食が好きです。

もとの文はココがイマイチ	➡	このワザでこう解決！
1　「日本食」にもいろいろあるので、もう少し絞り込みたい。		like *sushi* and *sashimi* の挿入によって具体例が挙がり、こちらの好みがより鮮明になる。

STEP 1　実例を挙げて文を書き換え、より具体的になったか確認しよう！

1　I'm taking boring classes this semester.
　（今学期、私は退屈なクラスを取っている→ like を使って「今学期、私はフランス語や口頭コミュニケーションのような退屈なクラスを取っている」に）

2　True geniuses completely change our perception of the world.
　（真の天才は、我々の世界観を完全に変える→ like を使って「Albert Einstein のような真の天才は、我々の世界観を完全に変える」に）

3　Don't waste your time on porn sites.
　（アダルトサイトを見て時間を浪費するな→ like を使って「XXX.com のようなアダルトサイトを見て時間を浪費するな」に）

4　The Japanese government has taken many desperate measures in hope of keeping the economy from crashing.
　（日本政府は経済の崩壊防止を期して多くの死に物狂いの手段を取って来た→ such as を使って「日本政府は経済の崩壊防止を期して「ゼロ金利政策」のような多くの死に物狂いの手段を取って来た」に）

5　The 20th century witnessed some revolutionary moments.
　（20 世紀はいくつかの革命的な瞬間を目撃した→ such as を使って「20 世紀は、1989 年のベルリンの壁崩壊のようないくつかの革命的な瞬間を目撃した」に）

テクニック ② 実例を挙げる

目標 実例を挙げて具体性を増すことができるようになろう！

　実例を挙げることは、こちらの言っていることが読み手の頭や心にありありと浮かぶようにするための、最も簡単で効果的な手段の一つ。その実例のイメージが明瞭であればあるほど、何行も説明するよりもよほど効率的です。これを導く語句の横綱は like と such as。

手順はこれだけ！

I like Japanese food.

⬇

実例を導く語句を使って、「好きな日本食」の具体例を挙げる（この場合は like。その他の頻用語句は以下の実例を参照）。

⬇

I like Japanese food like *sushi* and *sashimi*.

STEP 1　解答

1　I'm taking boring classes this semester like French and Oral Communication.
（今学期、私はフランス語や口頭コミュニケーションのような退屈なクラスを取っている）

2　True geniuses like Albert Einstein completely change our perception of the world.
（Albert Einstein のような真の天才は、我々の世界観を完全に変える）

3　Don't waste your time on porn sites like XXX.com.
（XXX.com のようなアダルトサイトを見て時間を浪費するな）

4　The Japanese government has taken many desperate measures such as the "zero-rate" policy in hope of keeping the economy from crashing.
（日本政府は経済の崩壊防止を期して「ゼロ金利政策」のような多くの死に物狂いの手段を取って来た）

5　The 20th century witnessed some revolutionary moments such as the collapse of the Berlin Wall in 1989.
（20 世紀は、1989 年のベルリンの壁崩壊のようないくつかの革命的な瞬間を目撃した）

STEP 2 実例を挙げて英作文をしてみよう！

1 Grace のような女の子っぽい女の子に、ボクは興味がない。

    女の子っぽい　girly

2 イギリスやフランスのようなヨーロッパの国々も、経済問題から解放されているわけではない。

    経済問題　economic problems　　～から解放されて　free from ～

3 道路建設や政府建造物の改築のような公共事業は最近集中砲火にさらされている。

    道路建設　road construction　　政府建造物　government buildings
    改築　renovation　　公共事業　public works projects
    集中砲火にさらされる　come under fire

STEP 3 実例を挙げて、さっそくメールを書いてみよう！

沖縄のようなどこかあったかいところに住みたいよ。お前は？
Val

老人を助けるためにできることなんてたくさんあるのよ。半定期的に彼らを訪れて話し相手になったりとかね。考えるのは止めて今できることを何でもやり始めることだわ。
Amy

    on a semi-regular basis　半定期的に

異なる民族集団間の紛争調停などの多くの分野で、国際連合はより積極的な主導権を取るべきです。実際、国連が、本当に大切な問題について大した力を持っておらず、外交官の一団が食事しながらおしゃべりしているにすぎないという事実に私はかなり苛立っています。あなたもそう思いませんか？
Marcellus

    conflict intervention　紛争調停

STEP 2 解答

1 I'm not interested in girly girls like Grace.

2 European countries like Britain and France are not free from economic problems either.

3 Public works projects such as road construction and the renovation of government buildings have recently come under fire.

STEP 3 解答

I want to live somewhere warm **like** Okinawa. What about you?
Val

There are so many things you can do to help the elderly, **like** visiting them on a semi-regular basis and talking with them. I suggest that you stop thinking about it and start doing whatever you can do now.
Amy

The United Nations should take more active initiatives in many fields **such as** conflict intervention among different ethnic groups. I am actually quite frustrated at the fact that the UN is almost like a bunch of diplomats having a dinner chat, without much power over truly important issues. Don't you agree?
Marcellus

テクニック 3 　比喩

Lisa lingered in her classroom.
Lisa は教室にぐずぐず居残っていた。

➡ Lisa lingered in her classroom **as if** she had nowhere else to go.
まるで他に行くところがないかのように、Lisa は教室にぐずぐず居残っていた。

もとの文はココがイマイチ	➡	このワザでこう解決！
1 「Lisa がぐずぐずと居残っていた」という事実の単純な描写に過ぎない。		as if she had nowhere else to go の挿入によって、「まるで〜のように」と Lisa の様子が具体化する。

STEP 1 比喩を使って文を書き換え、より具体的になったか確認しよう！

1　I felt so great.
　（とてもいい気持ちがした→ like を使って「天国にいるような気持ちがした」に）

2　In our class, Dr. Keystone talks down to us.
　（私たちのクラスでは、Keystone 博士は私たちを見下して話す→ as if を使って「私たちのクラスでは、Keystone 博士は、まるで小学一年生に話すかのように私たちを見下して話す」に）

3　Joey and Peter get along so well.
　（Joey と Peter はとてもうまが合う→ like を使って「本当の兄弟のように、Joey と Peter はとてもうまが合う」に）

4　Some Japanese people look at Arab people quite suspiciously.
　（日本人にはアラブ人をかなり疑い深い目で見る者もある→ as if を使って「日本人には、まるでアラブ人が全員犯罪者であるかのように、彼らをかなり疑い深い目で見る者もある」に）

テクニック ③ 比喩

目標 「まるで〜のように」とたとえられるようになろう！

　前項の「実例」の応用形とも言えるのがこの「比喩」。違いは、「実例」が「実例そのもの」を挙げるのに対し、「比喩」は「まるで〜のように」と若干迂回することだけ。的確な比喩は、こちらの言いたいことを明確に伝えるのみならず、読み手の想像力を刺激してイメージを膨らませる効果すらあります。実用性と創造性を兼ね備えているという意味で、比喩は表現の王様です。これを使いこなせれば、あなたの言っていることが伝わりやすくなるのみならず、あなたという人が表現力の豊かな人としてそれだけアピールすることにもなります。

手順はこれだけ！

　Lisa lingered in her classroom.

　⬇

　「ぐずぐず居残っていた」ことを比喩を使ってしっかりと表現したいので、as ifやlikeのような比喩を導く語句によって括られた句や節を追加する（この場合は as if she had nowhere else to go）。

　⬇

　Lisa lingered in her classroom as if she had nowhere else to go.

STEP 1　解答

1　I felt like I was in heaven.
　（天国にいるような気持ちがした）

2　In our class, Dr. Keystone talks down to us as if she is talking to first graders.
　（私たちのクラスでは、Keystone博士は、まるで小学一年生に話すかのように私たちを見下して話す）

3　Joey and Peter get along so well, like real brothers.
　（本当の兄弟のように、JoeyとPeterはとてもうまが合う）

4　Some Japanese people look at Arab people quite suspiciously, as if they are all criminals.
　（日本人には、まるでアラブ人が全員犯罪者であるかのように、彼らをかなり疑い深い目で見る者もある）

253

5 The central government is actively promoting so-called structural reform.
(中央政府はいわゆる構造改革を積極的に促進している→ as if を使って「中央政府はいわゆる構造改革を積極的に促進している。まるで今ある問題がそれで全て解決されるかのように」に)

STEP 2　比喩を使って英作文をしてみよう！

1 Buddy は病気か何かのように顔色が悪かった。

　　顔色が悪い　pale

2 Grove さんはときどき自分が世界の王者であると信じているかのように振る舞う。

　　振る舞う　act

3 九州は遠い異国の島であるかのように扱われてきた。

　　異国の島　an exotic island　　扱う　treat

STEP 3　比喩を使って、さっそくメールを書いてみよう！

> William がオレたちのグループの一員みたいに振る舞ってるの、見た？　すごく引っかかるよ。お前も引っかかった？
> Jason

> Isabelle ったら、わざと私を悩ませようとしているみたいに、今夜何回も何回も電話をかけてきたの。普段は気にしないけど、今回は別よ。明日の試験のために勉強してたんだから！
> Mary

　　on purpose　わざと

> 巨大銀行で働く友人から受け取った非公式の報告によれば、先週、多くのメジャーな外国人投資家たちがこれまで投資していたお金を引き上げて去ったそうです、自分たちの行為の余波など気にしないかのように。信じられますか？
> Kotetsu

　　unofficial report　非公式の報告　　foreign investors　外国人投資家
　　the aftermath　余波

5 The central government is actively promoting so-called structural reform as if it will solve all the problems that we have now.
（中央政府はいわゆる構造改革を積極的に促進している。まるで今ある問題がそれで全て解決されるかのように）

STEP 2　解答

1 Buddy looked so pale, as if he was sick or something.

2 Mr. Grove sometimes acts like he believes he is the king of the world.

3 Kyushu has been treated as if it is a distant, exotic island.

STEP 3　解答

> Did you see William acting **like** he was part of our group? That really bothered me. Did it bother you, too?
> Jason

> Isabelle called me over and over tonight **as if** she was bothering me on purpose. I usually don't mind, but I did mind this time. I was studying hard for the exam tomorrow!
> Mary

> According to an unofficial report I received from a friend of mine who works with a very large bank, many major foreign investors pulled out all the money they had previously invested and left last week **as if** they didn't care about the aftermath of their actions. Can you believe that?
> Kotetsu

テクニック4 同格①…コンマを使って

Tokyo is the largest city in Japan. It has over 10 million people living there.
東京は日本最大の都市です。そこには一千万人を超える人が住んでいます。

→ Tokyo, **the largest city in Japan**, has over 10 million people living there.
東京、すなわち日本最大の都市、には一千万人を超える人が住んでいます。

もとの文はココがイマイチ	このワザでこう解決！
1 「東京」「日本最大の都市」「一千万人を超える人が住んでいる場所」は全てイコールで結べるので、一文につないで簡潔化したい。	Tokyo の直後にコンマを使って the largest city in Japan を挿入することで、「東京、すなわち日本最大の都市」と、一文の中で「東京」を膨らませることができるようになる。

STEP 1 「同格」を使って二文をつないでみよう！

1 Ms. Stumper kindly came to see me in the hospital. She is my homeroom teacher.
（Stumper さんは親切にも病院にお見舞いに来てくれました。彼は私の担任の先生です）

2 Korea sometimes sends hostile signals. It is one of Japan's closest neighbors.
（韓国はときどき敵対的なサインを送ってきます。韓国は日本の最も近隣の国の一つです）

3 Shibuya is a "sleepless" city. It is the largest amusement town for the youth.
（渋谷は「眠らない」町です。渋谷は若者にとっての最も大きな歓楽街です）

4 I've always wanted to go to Tibet. It is the most spiritual place on earth.
（私はいつも Tibet に行きたいと思っていました。そこは地球上で最も霊的な場所です）

テクニック ④　同格①…コンマを使って

> **目標** コンマを使った同格表現を使って、ちょっとした説明を挿入できるようになろう！

通常、名詞を具体化する役目を担うのは形容詞です。「同格」はその例外。このテクニックを使えば、名詞（句）で名詞を膨らませることができるのです。この項でカバーする「コンマを使った同格表現」はその最も簡単な方法。明確化したい名詞の直後に、より具体性に富んだ名詞（句）を挿入するだけで OK。「A、すなわち B」という感じになります。

手順はこれだけ！

Tokyo is the largest city in Japan. It has over 10 million people living there.

⬇

文中の名詞を単に具体化して言い換えている場合、その名詞の直後に具体化部分をコンマではさんで挿入できる（この場合、the largest city in Japan は Tokyo の言い換え）。

⬇

Tokyo, the largest city in Japan, has over 10 million people living there.

STEP 1　解答

1　Ms. Stumper, my homeroom teacher, kindly came to see me in the hospital.
（Stumper さん、すなわち私の担任の先生、は親切にも病院にお見舞いに来てくれました）

2　Korea, one of Japan's closest neighbors, sometimes sends hostile signals.
（韓国、すなわち日本の最も近隣の国の一つ、はときどき敵対的なサインを送ってきます）

3　Shibuya, the largest amusement town for the youth, is a "sleepless" city.
（渋谷、すなわち若者にとっての最も大きな歓楽街、は「眠らない」町です）

4　I've always wanted to go to Tibet, the most spiritual place on earth.
（私はいつも Tibet、すなわち地球上で最も霊的な場所、に行きたいと思っていました）

5 We went out for dinner at Asian Palace. It is my favorite Chinese restaurant in town.
(私たちはAsian Palaceに夕食を食べに行きました。そこは町中で私が一番好きな中華料理店です)

STEP 2　「同格」を使って英作文をしてみよう！

1 私たちが会った人は板橋さん、すなわち私が知っている最も偉大なジャズ音楽家です。

　　ジャズ音楽家　a jazz musician

2 この大学で私は社会学、すなわち私の興味を最もひいた科目、を勉強しています。

　　社会学　sociology　　科目　a subject

3 Jobs氏、すなわち我が社の暴君、が明日の午後私たちの支店にやって来ます。

　　暴君　a tyrant　　支店　a branch

STEP 3　「同格」を使って、さっそくメールを書いてみよう！

Kumi
ロンドン、すなわち世界金融の中心地の一つ、は本当はかなり退屈です。卒業旅行にキミが行くべき場所かどうか、ボクには分からないな。
Paul

　　world finance　世界金融　　one's graduation trip　卒業旅行

今日の社会、すなわち我々の先達の遺産、は自己崩壊の淵にあります。私たちは明らかに直ちに行動を取る必要がありますが、今のところ何一つ起こっているようには見えません。いったい我々はどうしたというのでしょうか？
Sarah

　　the legacy of our predecessors　我々の先達の遺産
　　self-induced collapse　自己崩壊

バブル崩壊、すなわち日本史上最悪の経済破局、の直後、私の父が働いていた会社は倒産したのです。彼はいまだにそのことについては話すことすらしたくないと言います。
Tomomi

5 We went out for dinner at Asian Palace, my favorite Chinese restaurant in town.
（私たちはAsian Palace、すなわち町中で私が一番好きな中華料理店、に夕食を食べに行きました）

STEP 2 解答

1 The person we met is Mr. Itabashi, the greatest jazz musician that I know.

2 I'm studying sociology, the subject that interests me the most, at this university.

3 Mr. Jobs, the tyrant of our company, will come to our branch tomorrow afternoon.

STEP 3 解答

Kumi,
London, **one of the centers of world finance**, is actually quite boring. I don't know if it's the place you should go for your graduation trip.
Paul

Today's society, **the legacy of our predecessors**, is now on the verge of self-induced collapse. We obviously need to take immediate actions, but I don't see anything happening at all yet. What's wrong with us?
Sarah

The company my father was with went bankrupt right after the bubble economy burst, **the worst economic collapse yet in Japan**. He still tells me he doesn't want to even talk about it.
Tomomi

テクニック5 同格②…ofやthatなどを使って

I think Jack has a potential. He may make a great actor.
Jackには潜在能力があると思う。彼は素晴らしい俳優になるかもしれない。

→ I think Jack has the potential **of making a great actor**.
Jackには素晴らしい俳優になる潜在能力があると思う。

もとの文はココがイマイチ	→	このワザでこう解決！
1 1 make a great actorが potentialの意味内容であるのが明らかなので、一文につないですっきりさせたい。		ofを使って、the potential of making a great actorとすればすっきりする。

STEP 1 「同格」を使って文を書き換えよう！

1 It is a fact that the earth is smaller than the sun.
   （地球が太陽より小さいのは事実だ→ thatを使って「地球が太陽より小さいという事実に私は反駁できない」に）

2 I have a question. Can we ever prevent domestic child abuse?
   （私には疑問があります。家庭内での児童虐待はそもそも防止できるのでしょうか？→ ofを使って「私には、家庭内での児童虐待がそもそも防止できるのかどうかという疑問があります」に）

3 I have a strong belief. Good deeds eventually come back to me.
   （私には強い信念がある。よい行いは最終的に自分に帰って来る→ thatを使って「私には、よい行いは最終的に自分に帰って来るという強い信念がある」に）

4 We must consider a question. Are our products marketable in Taiwan or not?
   （私たちはある問題について考えねばならない。我々の製品は台湾で売れるだろうか？→ ofを使って「私たちは、我々の製品が台湾で売れるかどうかという問題について考えねばならない」に）

テクニック ⑤　同格②…ofやthatなどを使って

目標　ofやthatなどを使って、より込み入った同格表現ができるようになろう！

同格表現の第二弾。この項ではofやthatなどを使って句や節を導く方法をカバーします。基本は「A of B」「A that B」という形。これらはいずれも「BというA」と、名詞AをBによって具体化するために使われます。主語・動詞関係を含む句や節によって、前項の「コンマによる挿入」よりもはるかに込み入った修飾が可能になるのが大きな利点。ココまで来れば、上級者の仲間入りも間近です。

手順はこれだけ！

I think Jack has a potential. He may make a great actor.

⬇

名詞の意味内容を具体化するために、同格表現を導くofやthatなどを利用する。（例文の場合は、potentialの内容をof making a great actorで具体化）。

⬇

I think Jack has the potential of making a great actor.

STEP 1　解答

1　I can't refute the fact that the earth is smaller than the sun.
（地球が太陽より小さいという事実に私は反駁できない）

2　I have a question of whether or not we can ever prevent domestic child abuse.
（私には、家庭内での児童虐待がそもそも防止できるのかどうかという疑問があります）

3　I have a strong belief that good deeds eventually come back to me.
（私には、よい行いは最終的に自分に帰って来るという強い信念がある）

4　We must consider the question of whether or not our products are marketable in Taiwan.
（私たちは、我々の製品が台湾で売れるかどうかという問題について考えねばならない）

261

5 I don't like the idea.
（私はその考えが気に入らない→ that を使って「私は、自分の人生を支配する立場に自分がいないという考えが気に入らない」に）

STEP 2 「同格」を使って英作文をしてみよう！

1 次にやってきたのは、仮に我々が最善を尽くしても締切までに間に合うだろうかという疑いだった。

  締切　the deadline　　間に合う　make it

2 盗難の危険を避けるために、あなたのお金は金庫に入れておきます。

  危険　risk　　金庫　safe

3 相手方と私は我々のジョイントベンチャープロジェクトの経費を等しく折半するという合意に達した。

  （ビジネスなどの）相手方　one's counterpart　　経費　cost　　折半する　split

STEP 3 「同格」を使って、さっそくメールを書いてみよう！

誰だって自分の夢をかなえる可能性はあるんだよ。キミにだって。幸運を祈ってるから。
Dean

 possibility　可能性

たくさんのお金をかせいでそれを全部浪費したいという自分の欲望を否定はしません。私だけですか、そう欲しているのは？
Kenny

他の全ての国々は、アメリカが世界唯一の超大国としての地位を乱用する傾向があると深刻に疑っています。他のどの国もその地位にいないというまさにその事実からこそ、私はアメリカがより思慮深く責任を持って振る舞うことを望みます。あなたが私の言葉を理解してくださることを願っています。
Ichiro

 propensity　傾向　　abuse　乱用する
 the single superpower of the world　世界唯一の超大国

テクニック 5 同格②…of や that などを使って

5 I don't like the idea that I'm not in control of my life.
（私は、自分の人生を支配する立場に自分がいないという考えが気に入らない）

STEP 2 解答

1 Next came the doubt of whether we were going to make it by the deadline even if we did our best.

2 I will keep your money in a safe in order to avoid the risk of having it stolen.

3 My counterpart and I came to an agreement that we would equally split the cost for our joint venture project.

STEP 3 解答

Everyone has the possibility **of making his or her dreams come true**. You have a good chance also. Good luck!
Dean

I won't deny my own desire **that I want to make tons of money and waste it all**. Am I the only one?
Kenny

All the other countries have a serious suspicion **that America has a propensity** toward abusing its position as the single superpower of the world. Precisely because of the fact that no other country is in that position, I want America to act more sensibly and responsibly. I hope you see what I'm saying.
Ichiro

テクニック 6 比較①

The TV show we saw together last night was good.
ゆうべ一緒に見たテレビ番組はよかった。

→ The TV show we saw together last night was **better than** any I've seen in years.
ゆうべ一緒に見たテレビ番組は、長年私が見てきたどれよりもよかった。

もとの文はココがイマイチ	→	このワザでこう解決！
1 どのくらい「よかった」のか、はっきりしない。		比較を使って better than any I've seen in years とすることによって、「長年私が見てきたどれよりも」と、「よかった」を明確化できる。

STEP 1 比較を使って文を書き換え、より具体的になったか確かめよう！

1 The situation was not so desperate.
（状況はそんなに絶望的ではない→「状況は私たちが思っていたほど絶望的ではない」に）

2 Your boyfriend is cute.
（あなたの彼氏はかわいいわ→「あなたの彼氏は私のよりかわいいわ」に）

3 Taiwan's air force might actually be strong.
（台湾の空軍は実は強いかもしれない→「台湾の空軍は実は中国よりも強いかもしれない」に）

4 That morning cereal you recommended was bad.
（キミがすすめたシリアルはひどかった→「キミがすすめたシリアルはボクが今まで味わった中で最低だった」に）

テクニック ⑥ 比較①

目標 比較によって形容詞や副詞を具体化することができるようになろう！

　形容詞や副詞には、具体性に乏しいものがたくさんあります。例えば、「速い」と言われても、どれくらい速いのかはまちまちです。そこで登場するのが、「比較」。他と比べることによって、「どれくらい」と程度をはっきりさせることができるようになるわけです。相手の目に浮かぶように書くのは表現の基本中の基本。「比較」はそのためのとても有用なツールのひとつです。

手順はこれだけ！

The TV show we saw together last night was good.

⬇

形容詞 good を比較表現に変える（ここでは比較級 better）。

⬇

The TV show we saw together last night was better.

⬇

比較の対象（何より better なのか）を補う。

⬇

The TV show we saw together last night was better than any I've seen in years.

STEP 1 解答

1　The situation was not so desperate as we thought it was.
　（状況は私たちが思っていたほど絶望的ではない）

2　Your boyfriend is cuter than mine!
　（あなたの彼氏は私のよりかわいいわ）

3　Taiwan's air force might actually be stronger than China's.
　（台湾の空軍は実は中国よりも強いかもしれない）

4　That morning cereal you recommended was the worst I've ever tasted.
　（キミがすすめたシリアルはボクが今まで味わった中で最低だった）

265

5 It is now becoming obvious that we must make our position clear in order to show our determination to stop terrorism.
（テロに反対する決意を示すために我々自身の立ち位置を明らかにせねばならないことは、今や明らかである→「テロに反対する決意を示すために我々自身の立ち位置を前よりもずっと明らかにせねばならないことは、今や明らかになりつつある」に）

STEP 2　比較を使って英作文をしてみよう！

1 Horisaki さんのゆうべのピアノ演奏は過去最高によかった。

　　過去最高によい　better than ever

2 人生一般について、私は人並みに楽観的だと思う。

　　人生一般について　about life in general　人並みに〜だ　as 〜 as the next person

3 今や、世界全体が通常よりも中東問題に注意を払っている。

　　世界全体　the entire world　注意を払う　pay attention

STEP 3　比較を使って、さっそくメールを書いてみよう！

お前、さいこーだよ。助けてくれてほんとにありがと。
Yuichi

今や我々のチームには Rick がいるので、前よりもずっと大きな優勝のチャンスがある。残りのシーズンのあいだ集中し続け、実現しよう！
Jordan

　　stay focused　集中し続ける

さまざまな理由から、日本経済にはもはや香港ほど活力がありません。経済成長ペースの維持における香港の成功から日本が学びうることはとてもたくさんあります。
Jun

　　maintain　維持する

テクニック 6　比較①

5 It is now becoming obvious that we must make our position much clearer than before in order to show our determination to stop terrorism.
（テロに反対する決意を示すために我々自身の立ち位置を前よりもずっと明らかにせねばならないことは、今や明らかになりつつある）

STEP 2　解答

1 Mr. Horisaki's piano performance last night was better than ever.

2 I guess I'm just about as optimistic as the next person about life in general.

3 The entire world is now paying more attention to the Middle East than they usually do.

STEP 3　解答

You are **the coolest**! Thanks a lot for your help.
Yuichi

Now that our team has Rick with us, we have **a much better** chance of winning the championship. Let's stay focused for the rest of the season and make it happen!
Jordan

For various reasons, the Japanese economy is **not quite as vigorous** as Hong-Kong's anymore. There are so many things we could learn from Hong-Kong's success in maintaining their pace of economic growth.
Jun

6 表現を生き生きとさせるワザ

テクニック 7　比較②…慣用表現

There will be 20 people showing up.
20人の人が出席するだろう。

→ There will be 20 people showing up, **at most**.
最大でも（せいぜい）20人の人が出席するというところだろう。

もとの文はココがイマイチ	→	このワザでこう解決！
1 「20人の人が出席するだろう」という予測を単純に述べたにすぎない。		at most の挿入によって、「最大でもせいぜい20人」と、こちらの判断がより具体的に表明される。

STEP 1　比較の慣用表現を使って文を書き換え、より具体的になったか確かめよう！

1　Robin is pretty.
　（Robinはかわいい→「控えめに言っても、Robinはかわいい」に）

2　If you hang out here all night tonight, you will surely have a hangover tomorrow. You will miss the English exam in the morning, also.
　（今夜一晩中ぶらついてれば、お前は明日必ず二日酔いになるだろう。明日の朝の英語の試験も受け損なうだろう→「今夜一晩中ぶらついてれば、お前は明日必ず二日酔いになるだろう。更に悪いことに、明日の朝の英語の試験も受け損なうだろう」に）

3　When it comes to medical malpractice, Dr. Grant is bad.
　（医療過誤となると、Grant博士はひどい→「医療過誤となると、Grant博士は絶対的に最悪だ」に）

4　Paris has great parks and restaurants, and art museums.
　（パリには素晴らしい公園やレストランや美術館がある→「パリには素晴らしい公園やレストランや、そして最も素晴らしいことに、美術館がある」に）

5　*Apocalypse Now* is a great war movie.
　（Apocalypse Nowは素晴らしい戦争映画だ→「Apocalypse Nowは史上最高に素晴らしい戦争映画だ」に）

テクニック 7　比較②…慣用表現

> **目標**　慣用表現を使ってより効果的に比較を使いこなせるようになろう！

　比較には多くの慣用表現があり、それらは日常生活に深く浸透しています。例えば、天気予報。「最高気温」「最低気温」という必須表現には、「最高」「最低」という比較表現が入り込んでいますよね。この項では、慣用表現の中でも特に効果的で頻用されるものをカバーします。

手順はこれだけ！

There will be 20 people showing up.

⬇

比較の慣用表現を適切な場所に挿入する（多くは文末に）。
例文の場合、「20人」を具体化するために at most（最大でも）を選択。

⬇

There will be 20 people showing up, at most.

STEP 1　解答

1　Robin is pretty, to say the least.
　（控えめに言っても、Robin はかわいい）

2　If you hang out here all night tonight, you will surely have a hang-over tomorrow. What's worse, you will miss the English exam in the morning.
　（今夜一晩中ぶらついてれば、お前は明日必ず二日酔いになるだろう。更に悪いことに、明日の朝の英語の試験も受け損なうだろう）

3　When it comes to medical malpractice, Dr. Grant is the absolute worst.
　（医療過誤となると、Grant 博士は絶対的に最悪だ）

4　Paris has great parks and restaurants, and, best of all, art museums.
　（パリには素晴らしい公園やレストランや、そして最も素晴らしいことに、美術館がある）

5　*Apocalypse Now* is the greatest war movie of all time.
　（Apocalypse Now は史上最高に素晴らしい戦争映画だ）

STEP 2 比較の慣用表現を使って英作文をしてみよう！

1 この映画は、良くてビデオレンタル店へ直行だろう。

  良くて　at best

2 お前はこの惑星一の早食いだよ。

  この惑星　the planet　　早食い　a fast eater

3 Watson 博士は私たち学生に対して親切で、頼りになります。最も素晴らしいのは、彼が私たちと出歩くのをとても好むことです。

  最も素晴らしいのは　what's best　　出歩く　hang out　　とても好む　love

STEP 3 比較の慣用表現を使って、さっそくメールを書いてみよう！

ボクは、少なくとも日本は GDP の深刻な減少を避けるだろうと思います。だから、職探しについてあんまり心配しないように。きっと大丈夫だから。
Tom

---

 at the very least　少なくとも、どう転んでも　　job hunting　職探し

Mini はとても特別なんだ。彼女はもちろんかわいくて優しいけど、更にいいのは、今までオレが会ったことのあるどの女の子よりも彼女が知的だということさ。早くお前に紹介したいよ。
Sonny

---

 what's better　更にいいのは
 can't wait to ～　～するのが待ちきれない、早く～したい

遺伝子工学の潜在的な使い道については注意深く議論される必要があります。更に重要なことは、そのような実用が道徳的に認められるか否かという問題を無視してはならないということです。倫理学のクラスでこれについて話し合いましょう。
George

---

 genetic engineering　遺伝子工学　　more importantly　更に重要なことに
 morally permissible　道徳的に認められる

テクニック 7　比較②…慣用表現

STEP 2　解答

1　This film will go straight to video stores, at best.

2　You are the fastest eater on the planet.

3　Dr. Watson is kind and helpful to us students. What's best, he loves hanging out with us.

STEP 3　解答

I think Japan will avoid a major decrease in GDP, **at the very least**. So, don't worry too much about job hunting. I'm sure you will be just fine.
Tom

Mini is so special. She is cute and sweet, of course. But **what's better**, she is more intelligent than any other girl I've met. I can't wait to introduce her to you.
Sonny

The potential putting genetic engineering to practical use needs to be carefully discussed. **More importantly**, the question of whether or not such practical uses are morally permissible mustn't be ignored. Why don't we discuss this in our ethics class?
George

テクニック 8 関係詞①

The girl is my sister. She just sent you an e-mail.
その女の子は私の妹です。彼女はさっきあなたにメールを送りました。

➡ The girl **who** just sent you an e-mail is my sister.
さっきあなたにメールを送った女の子は私の妹です。

もとの文はココがイマイチ	➡	このワザでこう解決！
1 the girl, my sister, she の三人は同じ人物なので、あえて二文に分けずにすっきり表現したい。		関係代名詞 who を使って the girl who just sent you an e-mail と the girl を膨らませる形を取ることによって、一文にすっきりまとめることができるようになる。

STEP 1 関係詞を使って二つの文をつないでみよう！

1. The book was totally awesome. You recommended it.
（その本は全く素晴らしかったです。あなたがその本をすすめてくれました）

2. I dropped two classes. I found them uninteresting.
（私はクラスを二つ取り消しました。面白くないと思ったので）

3. I just checked out a website. You were talking about it the other day.
（私はたった今、あるウェブサイトを見ました。先日あなたがそれについて話していました）

4. Enclosed is an application form. You requested it.
（同封されているのは申請書です。あなたがそれを請求しました）

5. We are living in a country. In that country, we can buy practically anything we want whenever we want it.
（私たちはある国に住んでいる。その国では、欲しいものは何でも、欲しいときにいつでも買うことができる）

テクニック⑧　関係詞①

目標　関係詞を使って名詞を大幅に膨らませることができるようになろう！

「具体化」の親玉、関係詞の登場です。苦手意識の強い方も多いかもしれませんが、ご心配なく。要は、名詞を膨らませるための最もいい小道具だと思っておけばいいのです。これを使いこなせるようになるには、日本語の語順での翻訳にこだわらないことが大切。例文ならば、英語の語順どおりに「その少女は、彼女はあなたにさっきメールを送ったんですが、私の妹なんです」としてみましょう。これだけで格段に理解しやすくなりませんか？

手順はこれだけ！

The girl is my sister. She just sent you an e-mail.

⬇

共通の名詞を見つける（この場合は the girl と my sister と she）。
その中から組み合わせやすい二つを選び、一つを関係代名詞に置き換えてつなぎ合わせる（この場合は the girl と she）。

⬇

The girl who just sent you an e-mail is my sister.

STEP 1　解答

1　The book that you recommended was totally awesome.
（あなたがすすめてくれたその本は全く素晴らしかったです）

2　I dropped two classes that I found uninteresting.
（私は、面白くないと思ったクラスを二つ取り消しました）

3　I just checked out the website that you were talking about the other day.
（私はたった今、先日あなたが話していたウェブサイトを見ました）

4　Enclosed is the application form that you requested.
（同封されているのはあなたが請求した申請書です）

5　We are living in a country where we can buy practically anything we want whenever we want it.
（私たちは、欲しいものは何でも、欲しいときにいつでも買うことができる国に住んでいる）

STEP 2 関係詞を使って英作文をしてみよう！

1 あなたがずっと前に送ってくれた手紙を私はまだ持っています。
　　ずっと前に　long ago

2 父がかつて働いていた会社で、私は結局働くことになった。
　　かつて〜していた　used to 〜　　結局〜することになる　end up

3 日本は、完全にアジアの一部でもなければ西洋の一部でもないという困難な地位にある。
　　困難な地位　a difficult position

STEP 3 関係詞を使って、さっそくメールを書いてみよう！

ゆうべあんたがバーで言い寄ってた男は私の前の彼氏なの。嫌な奴よ。知らせとこうと思って。
Lynn

　　one's ex-boyfriend　前の彼氏　　a jerk　嫌な奴

親父とかつてキャッチボールをした公園に、今日の午後行って来た。親父とうまくやっていくのに何の問題もなかった日々を思い出したよ。あれからどうしてこうなっちまったんだろうな？
Snoop

興味深い記事を読みました。要約すると、日本の不況の深刻さを象徴する記録的な失業率は、不況が日本ほど深刻でないと考えられているアメリカと実は同じくらいの高さであるというのです。これについてどう思いますか？
Satoshi

　　the record-high unemployment rate　記録的な失業率　　symbolize　象徴する

テクニック⑧　関係詞①

STEP 2 解答

1　I still have a letter that you sent me long ago.

2　I ended up working for a company that my dad used to work for.

3　Japan is in a difficult position where it is not entirely part of Asia or of the western world.

STEP 3 解答

> The guy (**whom**) you were hitting on at the bar last night is my ex-boyfriend. He is a jerk. Just wanted to let you know.
> Lynn

　　※このような whom は省略されることが大半。

> I went to the park this afternoon **where** I used to play catch with my dad. It reminded me so much of those days when I had no problem getting along with him. What has come between us since then?
> Snoop

> I read an interesting article. To sum it up, the record-high unemployment rate in Japan **that** symbolizes the seriousness of its recession is actually about as high as that of America where the recession is not considered as serious. What do you think about that?
> Satoshi

275

テクニック 9　関係詞②…前置詞との組み合わせなど

This restaurant serves good *sashimi* and *sushi*. I like them both.
このレストランはおいしい刺身や寿司を出します。私はどちらも好きです。

➡ This restaurant serves good *sashimi* and *sushi*, **both of which** I like.
このレストランはおいしい刺身や寿司を出し、そのどちらも私は好きです。

もとの文はココがイマイチ	➡	このワザでこう解決！
1　*sashimi* and *sushi* と them both が同じものなので、一文につないですっきりさせたい。		関係代名詞を含む both of which で them both を置き換えれば、*sashimi* and *sushi* を膨らませる形で一文にすっきりまとめることができる。

STEP 1　関係詞を使って二つの文をつないでみよう！

1　My mother put in boiled eggs, potato salad and marinated salmon. I like all of them.
（私の母はゆで卵、ポテトサラダ、そして鮭のマリネを入れてくれました。私はそれらがみんな好きです）

2　Patricia lent me 100 dollars. Thanks to that my phone line wasn't disconnected.
（Patricia は私に 100 ドル貸してくれました。そのおかげで、電話を止められずにすみました）

3　I bought a new video camera. I'm hoping to make some money by means of it.
（私は新しいビデオカメラを買いました。それを使って、いくらかお金を稼げればと願っています）

テクニック⑨　関係詞②…前置詞との組み合わせなど

> **目標**　より自在に関係詞を使いこなせるようになろう！

関係詞はとても大きなテーマなので、やや詳しく掘り下げます。まずはこの「前置詞などと関係詞の組み合わせ」というパターン。関係詞そのものが日本語に存在しないのに加え、例文のように both of which などと来られるとさすがに若干面食らいます。でも、both of them（それら両方）ならば、それほど難しくないはず。both of which はその言い換えに過ぎません。以下の実例も全て同じです。ダイジョウブ。

手順はこれだけ！

This restaurant serves good *sashimi* and *sushi*. I like them both.

⬇

them both が指しているのが *sashimi* and *sushi* であることが明らかなので、関係代名詞でつなげると判断する。

⬇

基本的には関係詞一般のルールに従えばよいが（前項参照）、them both が which both ではなくて both of which となることに注意！（〜 of which の形は頻出！）

⬇

This restaurant serves good *sashimi* and *sushi*, both of which I like.

STEP 1　解答

1　My mother put in boiled eggs, potato salad and marinated salmon, all of which I like.
（私の母はゆで卵、ポテトサラダ、そして鮭のマリネを入れてくれたのですが、それらみんなが私は好きです）

2　Patricia lent me 100 dollars, thanks to which my phone line wasn't disconnected.
（Patricia は私に 100 ドル貸してくれ、そのおかげで電話を止められずにすみました）

3　I bought a new video camera, by means of which I'm hoping to make some money.
（私は新しいビデオカメラを買ったのですが、それを使っていくらかお金を稼げればと願っています）

277

4 I saw a broken-down car in the middle of the street. A crying boy was pacing around right in front of it.
（私は道の真ん中で壊れた車を見ました。泣いている少年がそのすぐ前を歩き回っていました）

5 There must be gems of contemporary French literature. I won't have a chance to read many of them since I don't comprehend the language.
（珠玉のような現代フランス文学作品があるに違いない。フランス語が分からないので、私はそれらの多くを読む機会がないだろう）

STEP 2 関係詞を使って英作文をしてみよう！

1 クラスメートたちはみんなで大きな輪を作り、その中央にはBrianがいた。
　　輪　a circle　　中央　the middle

2 Curie夫人はラジウムを発見したが、その存在を彼女は固く信じていた。
　　ラジウム　radium　　発見する　discover　　固く　firmly

3 私のガールフレンドが自分の好きな20人のアーティストの名を挙げたが、その全てを私は嫌いだった。
　　名を挙げる　name

STEP 3 関係詞を使って、さっそくメールを書いてみよう！

Douglas
そこを過ぎると風刺が悪意に変わってしまう臨界点ってのがあるんだぜ。覚えときな。
Kirk

　sarcasm　風刺　　malice　悪意

そのコンピュータ店にはとてもたくさんの種類のモデムがあって、その中には私が探していた型もあったの。しかも20％引きだったのよ。もちろん買ったわ。
Angela

　variety　種類　　plus　しかも、その上

4 I saw a broken-down car in the middle of the street, right in front of which a crying boy was pacing around.
（私は道の真ん中で壊れた車を見ましたが、そのすぐ前を、泣いている少年が歩き回っていました）

5 There must be gems of contemporary French literature, many of which I won't have a chance to read since I don't comprehend the language.
（珠玉のような現代フランス文学作品があるに違いないが、それらの多くを読む機会が私にはないだろう。フランス語が分からないので）

STEP 2 解答

1 All my classmates made a big circle, in the middle of which was Brian.

2 Madame Curie discovered radium, the existence of which she had firmly believed.

3 My girlfriend named twenty artists that she liked, all of whom I hated.

STEP 3 解答

Douglas,
There is a point, **past which** sarcasm turns into malice. Keep that in mind.
Kirk

The computer store had a great variety of modems, **among which** was the model I was looking for. Plus, it was 20% off. Of course, I bought it.
Angela

> いわゆるアジア金融危機は 90 年代後半に起こりましたが、その分析はまだ完全には終了しておりません。私と共同でこのテーマに取り組む気はありませんか？ できるだけ早くメールでお知らせくだされば幸いです。
> Shuhei Hayakawa

the so-called Asian Financial Crisis　いわゆるアジア金融危機　　tackle　取り組む

The so-called Asian Financial Crisis took place in the late 90's, **the analysis of which** hasn't thoroughly been completed yet. I'm wondering if you would like to tackle this topic in collaboration with me. I would appreciate it if you could email me back and let me know as soon as possible.
Shuhei Hayakawa

テクニック 10 関係詞③…先行する文全体を受ける "which"

Emily finally started to talk to me. It was a good sign.
Emily はようやく私に話し掛けるようになった。それはいい兆候だ。

→ Emily finally started to talk to me, **which** was a good sign.
Emily はようやく私に話し掛けるようになったが、それはいい兆候だ。

もとの文はココがイマイチ	→	このワザでこう解決！
1 一文目の "Emily finally started to talk to me" が it の指示内容なので、一文にまとめたい。		文全体を受ける which を使えば、一文目を膨らませつつすっきりと一文にまとめることができる。

STEP 1 先行する文全体を受ける which を使って、二つの文をつないでみよう！

1 Duke told me he hated me. It didn't faze me in the least.
（Duke は私のことを嫌いと言った。私はそれを何とも思わなかった）

2 Jan's family invited me to their Thanksgiving dinner. It was very nice of them.
（Jan の家族は彼らの感謝祭の夕食に私を招待してくれた。それはとてもありがたいことだった）

3 Cathy called me and said that she couldn't come to my birthday party because she was sick in bed. It disappointed me very much.
（Cathy は私に電話をしてきて、病気で寝ているので私の誕生パーティに来れないと言った。それにはとてもがっかりさせられた）

4 My dad sent me on three weeks of "adventure" to a camping site on Mt. Aso. It was a great opportunity to learn about nature.
（阿蘇山のキャンプ場への三週間の「冒険」に父は私を送り出した。それは自然について学ぶ素晴らしい機会だった）

テクニック⑩ 関係詞③…先行する文全体を受ける "which"

目標 関係代名詞 which を使って文全体を受けることができるようになろう！

次は「文全体を受ける which」。これ一語で先行する文全体を受けて総括することができるのですから、ナカナカ便利な道具です。形も、ほぼ確実に「A（先行する文）だが、それは B（which 以下）だ」というパターンにおさまりますので、それほど手ごわくありません。実際、この which は、慣れてくると会話でもとても重宝します。例えば、相手の発言を受けて "…speaking of which" と言えば、「（あなたの言っている）そのことと言えば…」と、いかにも相手の言葉を拾っている感じを出すことができます。

手順はこれだけ！

Emily finally started to talk to me. It was a good sign.

⬇

二文目の代名詞 it が先行する文全体を受けることを確かめ、先行する文のピリオドをコンマに変え、文全体を受ける it を which に変えて、二文を一文につなぐ。

⬇

Emily finally started to talk to me, which was a good sign.

STEP 1 解答

1 Duke told me he hated me, which didn't faze me in the least.
（Duke は私のことを嫌いと言ったが、それを私は何とも思わなかった）

2 Jan's family invited me to their Thanksgiving dinner, which was very nice of them.
（Jan の家族は彼らの感謝祭の夕食に私を招待してくれたが、それはとてもありがたいことだった）

3 Cathy called me and said that she couldn't come to my birthday party because she was sick in bed, which disappointed me very much.
（Cathy は私に電話をしてきて、病気で寝ているので私の誕生パーティに来れないと言ったが、それにはとてもがっかりさせられた）

4 My dad sent me on three weeks of "adventure" to a camping site on Mt. Aso, which was a great opportunity to learn about nature.
（阿蘇山のキャンプ場での三週間の「冒険」に父は私を送り出したが、それは自然について学ぶ素晴らしい機会だった）

5 Our counterpart claims that fixing the defects in their network system is our responsibility. It is obviously not the case.
（相手方は彼らのネットワークシステムの欠陥を直すのは我々の責任だと主張する。それは明らかに妥当でない）

STEP 2 先行する文全体を受ける which を使って英作文をしてみよう！

1 私の妹は女優で、それを私はひそかに誇りに思っている。

　　ひそかに　secretly

2 Eleanor は彼女の元夫についてぶつぶつ言い続けており、それが私には聞くにたえなかった。

　　元夫　one's ex-husband　　ぶつぶつ言う　complain

3 今や誰もが携帯電話を持っているが、おかげで、要するに、電話会社が厖大な利益をあげている

　　携帯電話　a cellular phone　　要するに　basically　　厖大な利益　tons of profit

STEP 3 先行する文全体を受ける which を使って、さっそくメールを書いてみよう！

Mike はその遅れを私のせいだと思っているが、それは明らかに間違ってる。君は知ってるだろ？
Smitty

親父が留守電に、すぐに電話をかけ直すようにってメッセージを残してたんだけど、いつものように無視したよ。どうせニュースなんかなくて、オレの声を聞きたいだけだって分かってたから。オレってひどいか？
Huey

日本の親は三歳児すらわが子を英会話学校へと熱心に送り込みますが、それは単純に、彼らの母国語である日本語の適切な学習を妨げるでしょう。「英語業界」は、子どもに英語を習うように強制しなければ親として間違っているかのように感じさせるのを止めるべきだと、英語の教師として私は強く信じています。
Iwao Kawashima

---

　　prevent　妨げる　　one's first language　母国語

テクニック⑩　関係詞③…先行する文全体を受ける "which"

5　Our counterpart claims that fixing the defects in their network system is our responsibility, which is obviously not the case.
（相手方は彼らのネットワークシステムの欠陥を直すのは我々の責任だと主張するが、それは明らかに妥当でない）

STEP 2　解答

1　My younger sister is an actress, which I am secretly proud of.

2　Eleanor kept complaining about her ex-husband, which I couldn't stand listening to.

3　Everyone has a cellular phone now, which is basically letting telecommunications companies make tons of profit.

STEP 3　解答

Mike thinks the delay is my fault, **which** is clearly wrong. You know that, don't you?
Smitty

My father left me a message on my answering machine to call him back right away, **which** I ignored as always. I knew he had no news and just wanted to hear my voice. Am I bad?
Huey

Japanese parents eagerly send their kids to English conversation schools even at the age of three, **which** will simply prevent the children from properly learning their first language, Japanese. As an English teacher, I strongly believe that the "English industry" should stop making parents feel inadequate if they don't push their kids to learn English.
Iwao Kawashima

テクニック11　関係詞④…主語を自在に膨らませる

The dinner was really great.
その夕食は本当に素晴らしかった。

→ The dinner that we had last night was really great.
私たちが昨夜食べたその夕食は本当に素晴らしかった。

もとの文はココがイマイチ	→	このワザでこう解決！
1　主語である「その夕食」のことが判然としない		「私たちが昨夜食べたその夕食」と具体的に示されているので、読み手はより具体的にイメージできる。

STEP 1　主語を膨らませて、ニュアンスの違いを確かめよう！

1　I want to have some fun.
　（私はいくらか楽しみたい→「私がしたいのはいくらか楽しむことだけだ」に）

2　The girl is my ex-girlfriend.
　（その少女は私の元の彼女だ→「あなたが話しかけていたその少女は私の元の彼女だ」に）

3　The company has gone out of business.
　（その会社は廃業した→「私の父がかつて働いていたその会社は廃業した」に）

4　The guy was killed yesterday.
　（その男は昨日殺された→「私がほとんど毎晩一緒に遊んでいたその男は昨日殺された」に）

5　The fact torments me.
　（その事実が私を苦しめる→「自分が自身の人生をコントロールしていないという事実が私を苦しめる」に）

テクニック⑪ 関係詞④…主語を自在に膨らませる

目標 関係詞や同格表現を使って、主語を具体化することができるようになろう！

　関係詞をうまく使うと、主語を具体化することができるようになります。例えば、「そのペンは書きやすい」を「昨日君がくれたペンは書きやすい」という具合です。主語は動詞と並ぶ文の要ですから、これを具体化するのは読み手の理解を確実に助けます。同様に、「〜という」という意味を担う「同格」の that も主語を膨らませるのに便利ですのであわせて押さえてしまいましょう。こちらは、例えば「日本経済が復活するという情報が世界を駆け巡った」のように使います。いずれも、主語が重くなるので、英文の構造としては最も分かりにくくなります。歯ごたえがありますが、自分のものにしましょう。

手順はこれだけ！

　　The dinner was really great.
　　⬇
　　関係詞 that を使って主語 "the dinner" を膨らませる
　　⬇
　　The dinner that we had last night was really great.

STEP 1　解答

1　All that I want to do is have some fun.
　（私がしたいのはいくらか楽しむことだけだ）

2　The girl you were talking to is my ex-girlfriend.
　（あなたが話しかけていたその少女は私の元の彼女だ）

3　The company where my father used to work has gone out of business.
　（私の父がかつて働いていたその会社は廃業した）

4　The guy I used to hang out with almost every night was killed yesterday.
　（私がほとんど毎晩一緒に遊んでいたその男は昨日殺された）

5　The fact that I'm not in control of my life torments me.
　（自分が自身の人生をコントロールしていないという事実が私を苦しめる）

STEP 2 主語を膨らませて、英作文をしてみよう！

1 我々が先日行ったそのレストランは「The Coolest」と呼ばれていた。

2 あなたがする必要があるのは、ためらわずに尋ねることだけだ。

3 昨日買ったその本は、私が今年読んだ他のどの本よりも面白そうに見受けられた。

STEP 3 主語を膨らませて、さっそくメールを書いてみよう！

Davidと一緒に昨夜観た映画は「American Ninja Max」という名前ですが、私がこれまでの人生で観たなかで一番の映画でした。脚本は良く書けており、俳優たちはみんな素晴らしかったです。特に敵役が。Michael Saitoという名前の日系アメリカ人が撮った映像はあまりに美しく、私は完全に引き込まれました。これは、典型的な子供向けの忍者映画ではありません。強く勧めます。

Michael

 antagonist　敵役
 cinematography　映像

STEP 2 解答

1 The restaurant we went to the other day was called "The Coolest."

2 All that you need to do is go ahead and ask.

3 The book that I bought yesterday seems more interesting than any other book that I read this year.

STEP 3 解答

The film that I saw last night with David was called "American Ninja Max," and it was the greatest movie I have ever seen in my whole life. The script was well written, the actors were all awesome, especially the antagonist. The cinematography shot by a Japanese American named Michael Saito is so beautiful that I was completely absorbed in it. This is not a typical ninja movie for kids. Strongly recommended.
Michael

テクニック 12 「程度」の付与

We've become tense with each other.
私たちはお互いに対してぴりぴりするようになった。

→ We've become tense with each other **to the point where** we can hardly continue living together.
私たちは一緒に住むことがほとんど不可能になるところまで、お互いに対してぴりぴりするようになった。

もとの文はココがイマイチ	→	このワザでこう解決！
1 どのくらい「ぴりぴりするようになった」のか、はっきりさせたい。		程度を導く"to the point where ～"を使うことによって、「ぴりぴり」の程度が格段に明確になる。

STEP 1 「程度」を明らかにしつつ文を書き換え、より具体的になったか確認しよう！

1 Jackie is too cheap.
（Jackie はけちすぎる→ too ～ to を使って「Jackie はけちすぎて、見知らぬ人には 10 ドルだってやらない」に）

2 My father was worried.
（父は不安だった→ to such a degree that ～を使って「父は不安で、食べられないほどだった」に）

3 My schedule is so tight.
（私のスケジュールはとてもきついです→ so ～ that を使って「私のスケジュールはとてもきつくて、友達と出歩くことすらほとんどできません」に）

4 My room is big.
（私の部屋は大きいです→ enough を使って「私の部屋は大きくて、私たち 5 人が座って話すには十分です」に）

テクニック⑫ 「程度」の付与

目標 「どのくらい」か程度をはっきりさせることができるようになろう！

「比較」のところでも述べましたが、形容詞や副詞は程度をはっきりさせなければ「どれくらい」かよく分からないことが多々あります。この項では、比較以外の方法で程度を明らかにするテクニックをカバーします。頻用表現には若干難しそうに見えるものもあるかもしれませんが、これらはほとんど全てがパターン化された慣用句です。「習うより慣れろ」です。

手順はこれだけ！

We've become tense with each other.

⬇

tense を具体化するために、「程度」を導く語句によって括られた節や句を付け加える（ここでは "to the point where ~ [~というところまで]" を選択）。

⬇

We've become tense with each other to the point where we can hardly continue living together.

STEP 1 解答

1 Jackie is too cheap to give a stranger 10 dollars.
（Jackie はけちすぎて、見知らぬ人には 10 ドルだってやらない）

2 My father was worried to such a degree that he couldn't eat.
（父は不安で、食べられないほどだった）

3 My schedule is so tight that I can hardly go out with my friends.
（私のスケジュールはとてもきつくて、友達と出歩くことすらほとんどできません）

4 My room is big enough for five of us to sit and talk.
（私の部屋は大きくて、私たち 5 人が座って話すには十分です）

5 Our company's effort was a success.
（我が社の努力は成功となりました→ to the extent of ～を使って「我が社の努力は、長期目標を達成する次の段階への基礎を確立する程度には成功となりました」に）

STEP 2 「程度」を明らかにしつつ英作文をしてみよう！

1 Sam が私に言ったことは真実であるにはできすぎていた。
　　　真実であるにはできすぎて　too good to be true

2 あなたが送ってくれた詩はとても美しいので、母に転送したい。
　　　転送する　forward

3 直ちに入院せねばならないほど、Norris はショックを受けていた。
　　　入院する　be hospitalized

STEP 3 「程度」を明らかにしつつ、さっそくメールを書いてみよう！

ボクらの関係は結婚するか別れるかしなければならないところに来てしまったと、ボクは強く感じています。キミは、ボクらはどうすべきと思う？
Greg

この学校はあんまり退屈だから、私は転校をまじめに考えています。こんなこと聞きたくないかもしれないけど、ボクの正直な気持ちだから。
Eddie

　　　transfer　転校する、編入する

キミの質問に対するボクの答えは次の通りです。日本に関して言えば、ロシアは大量の日本製品を輸入する程度には友好的な国です。逆に言えば、日本は巨額の資金援助を贈与や貸与する程度には友好的な国です。今週中に会って、話し合おうか？
O. J.

　　　great deal of Japanese products　大量の日本製品　　grant　贈与する
　　　lend　貸与する　　a large amount of financial aid　巨額の資金援助

テクニック⑫　「程度」の付与

5 Our company's effort was a success to the extent of establishing a foundation for the next in achieving our long term objectives.
（我が社の努力は、長期目標を達成する次の段階への基礎を確立する程度には成功となりました）

STEP 2　解答

1 What Sam told me was too good to be true.

2 The poem you sent me is so beautiful that I want to forward it to my mother.

3 Norris was shocked to such a degree that he had to be hospitalized immediately.

STEP 3　解答

I strongly feel that our relationship has come **to the point where** we must marry or break up. What do you think we should do?
Greg

This school is **so boring that** I'm seriously considering transferring to another one. You may not want to hear it, but this is how I honestly feel.
Eddie

My answer to your question is: Regarding Japan, Russia is a friendly nation to **the extent that** it imports a great deal of Japanese products; conversely, Japan is a friendly country **to the extent that** it grants or lends Russia a large amount of financial aid. Do you want to get together later this week to discuss this?
O. J.

テクニック 13 「条件」の付与

You can keep the book that I lent you the other day.
先日貸した本は取っておいていいですよ。

→ You can keep the book that I lent you the other day, **if you want to**.
先日貸した本は取っておいていいですよ、もしそうしたければ。

もとの文はココがイマイチ	→	このワザでこう解決！
1 「取っておいていい」と全く無条件に認めることになってしまう。		if you want to と条件を付け加えることによって、「取っておいていい」に制限を加えることができる。

STEP 1 「条件」を加えて文を書き換え、より具体的になったか確認しよう！

1 Study hard.
 （一所懸命勉強しなさい→「そうすればその試験には落ちないから」を追加）

2 Leave me.
 （放っておいて→「でなきゃ、結婚して」を追加）

3 I urge you to work harder.
 （もっと一所懸命働くよう強くすすめます→「さもなければあなたは職を失うでしょう」を追加）

4 We are ready to start producing your new model.
 （我々はおたくの新しいモデルを生産し始める準備ができています→「向こう三年間は古いモデルの生産を終結させないという条件で」を追加）

5 I would go to your birthday party.
 （私はあなたの誕生パーティに行くのに→「弟の子守りをしなくてよければ」を追加）

テクニック⑬ 「条件」の付与

目標 「もし〜ならば」と条件をつけることができるようになろう！

　無条件に何かを認めることは、ナカナカ危険を伴います。そこで登場するのが、「条件」。「基本的には認めるけれども、条件がある」とするわけです。if はそのための最大の武器。unless, as long as, on condition などは全てそのバリエーションです。「命令文＋ and, or（〜しなさい、そうすれば［さもないと］）」の形もここであわせてカバーします。

手順はこれだけ！

You can keep the book that I lent you the other day.

⬇

無条件に「取っておいていい」と言いたいわけではないので、条件を付与する必要がある（この場合は if you want to を挿入）。

⬇

You can keep the book that I lent you the other day, if you want to.

STEP 1　解答

1　Study hard, and you won't fail the exam.
　（一所懸命勉強しなさい。そうすればその試験には落ちないから）

2　Leave me, or marry me.
　（放っておいて。でなきゃ、結婚して）

3　I urge you to work harder, or you may lose your job.
　（もっと一所懸命働くよう強くすすめます。さもなければあなたは職を失うでしょう）

4　We are ready to start producing your new model, on the condition that you won't terminate the production of older models for the next three years.
　（向こう三年間は古いモデルの生産を終結させないという条件で、我々はおたくの新しいモデルを生産し始める準備ができています）

5　I would go to your birthday party if only I didn't have to baby-sit my little brother.
　（弟の子守りをしなくてよければ、私はあなたの誕生パーティに行くのに）

STEP 2 「条件」を使って英作文をしてみよう！

1 他に用事があれば、次の会合には来なくてもいいですよ。

  他の用事　other obligations

2 私たちの販売キャンペーンに登録してくださった場合のみ、あなたはその賞品を獲得する資格があります。

  販売キャンペーン　sales campaign　　登録する　sign up
  資格がある　eligible

3 我々の製品に対して本当に興味を持っておられるのでなければ、こちらにメールを送らないでください。

  本当に興味がある　have a serious interest

STEP 3 「条件」を使って、さっそくメールを書いてみよう！

Kikuji

明日の夜、パーティをやるから。仲間に加わりたければ、そう言って。

Penny

---

 throw a party　パーティを開く

Timothy

キミの担任として、John とつきあうのを止めるように強く勧めるよ。そうすれば、君が今抱えている困難を克服する助けになるから。必要なときはいつでも電話しなさい。

Baba

---

 associate with ～　～と関わる、つきあう

日本が世界第三の経済大国としての地位を維持している限り、他の国々はその存在を無視しないでしょう。しかしながら、経済再生への試みに失敗すれば、日本はほどなくその特権を失うことになるかもしれません。

Adam

---

 one's presence　存在　　privilege　特権　　economic revitalization　経済再生

STEP 2 解答

1 You don't have to come to the next meeting if you have other obligations.
   (← You don't have to come to the next meeting.)

2 You are eligible for the prize only if you sign up for our sales campaign.
   (← You are eligible for the prize.)

3 Please do not send us an email unless you have a serious interest in our product.
   (← Please do not send us an email.)

STEP 3 解答

Kikuji,
We are throwing a party tomorrow night. **If you want** to join us, let me know.
Penny

Timothy,
As your homeroom teacher, I strongly suggest that **you stop** associating with John. That will help you overcome your present difficulties.
Call me whenever you need,
Baba

As long as Japan maintains its position as the third largest economy in the world, other countries will never ignore its presence. However, it may lose that privilege before long if it fails in its attempts at economic revitalization.
Adam

テクニック14 「目的」の付与

Stacy had two jobs.
Stacyは仕事を二つ持っていた。

➡ Stacy had two jobs **in order** to raise three babies.
三人の赤ん坊を育てるために、Stacyは仕事を二つ持っていた。

もとの文はココがイマイチ	➡	このワザでこう解決！
1 「仕事を二つ持っていた」ことの、目的・理由が知りたい。		目的を導く in order to を使うことによって、「三人の子供を育てるために」と「理由」を明確に示すことができる。

STEP 1 「目的」を付与して文を書き換え、より具体的になったか確認しよう！

1 I looked for auction sites.
（私はオークションサイトを探した→ to 不定詞を使って「古いカメラを売ろうと」を付与）

2 Mayumi studied hard.
（Mayumiは一所懸命勉強した→ so as not to を使って「化学で『落第』を取らないように」を付与）

3 My grandfather bought a rundown house.
（私の祖父はぼろ屋を買った→ so that を使って「家族に住む場所があるように」を付与）

4 Japanese kids sacrifice everything and just study hard.
（日本の子供は何もかもを犠牲にしてただ勉強する→ so を使って「名門校に入るために」を付与）

5 Barbara went to Germany.
（Barbaraはドイツに行った→ for the purpose of を使って「自分の会社のヨーロッパ支店むけによい場所を探すという目的で」を付与）

テクニック⑭ 「目的」の付与

> **目標** 「〜のために」と言えるようになろう！

大半の動作・行為には目的があり、読み手は常に「なぜ」「何の目的で」と無意識に問うているものです。これに答えるのは、書き手の役割。目的が見えれば、動作を含む文全体が生き生きとしてきます。to 不定詞から so that まで、目的を導く語句を活用して、読み手の「なぜ」に答えてください。

手順はこれだけ！

Stacy had two jobs.

⬇

「二つ仕事を持つ」目的を明らかにすべく、目的を導く語句によって括られた句や節を挿入する（基本的には後ろから追加）。この場合は in order to を選択（他の頻用語句は以下の実例を参照）。

⬇

Stacy had two jobs in order to raise three babies.

STEP 1　解答

1　I looked for auction sites to sell my old camera.
（古いカメラを売ろうと、私はオークションサイトを探した）

2　Mayumi studied hard so as not to get an F in chemistry.
（化学で「落第」を取らないように、Mayumi は一所懸命勉強した）

3　My grandfather bought a rundown house so that his family would have a place to live.
（私の祖父は、家族に住む場所があるようにぼろ屋を買った）

4　Japanese kids sacrifice everything and just study hard so they can enter prestigious schools.
（名門校に入るために、日本の子供は何もかもを犠牲にしてただ勉強する）

5　Barbara went to Germany for the purpose of finding a good location for the European branch of her company.
（自分の会社のヨーロッパ支店むけによい場所を探すという目的で、Barbara はドイツに行った）

STEP 2 「目的」を使って英作文をしてみよう！

1 肉体労働がいかに大変かを学ぶために、私は建設現場で働いた。

　　肉体労働　manual labor　　建設現場　a construction site

2 万一雨が降ったときのために、明日の朝、傘を持っていきなさい。

　　万一〜したときのために　just in case 〜

3 十分な治安を維持するために個人の権利を制限できるように、アメリカ政府は反テロ法を通した。

　　公共の安全、治安　public safety　　個人の権利　individual rights
　　反テロ法　an anti-terrorism law

STEP 3 「目的」を使って、さっそくメールを書いてみよう！

アドバイスを一つ。何もかもディスクに保存しておくこと。お前のコンピュータの調子が悪くなったときのためにな。

Matt

---

　a piece of advice　一つのアドバイス
　act up　（機械の）調子が悪くなる、（人間が）行儀よくしない

Hanna の結婚式ではかいがいしく働いたよ、彼女の妹にいい印象を与えることができるように。言っとくけど、すごくかわいいんだぜ！

Reggie

　I'm telling you　「言わせてもらうけど」「言っておくが」という感じで注意の喚起や強調に使われる前置き

Kobayashi さん

あなたのような方が相対的に小額の投資を金融市場に対して行えるように、我が社はつい最近新しいサービスをスタートさせました。添付のデータ書類をご覧になり、「ローリスク・ハイリターン」という夢を我々の方法がいかに実現しているかをご確認ください。

Chris Latimar

---

　relatively　相対的に　　the attached fact sheet　添付のデータ書類

テクニック⑭ 「目的」の付与

STEP 2　解答

1. I worked at a construction site to learn how hard manual labor is.

2. Take your umbrella with you tomorrow morning, just in case it rains.

3. The American government passed an anti-terrorism law so it can limit individual rights in order to maintain an adequate degree of public safety.

STEP 3　解答

A piece of advice: Save everything on disks, **just in case** your computer acts up.
Matt

I worked diligently at Hanna's wedding **so that** I could make a good impression on her younger sister. I'm telling you, she is so cute!
Reggie

Dear Mr. Kobayashi,
Our company just started a new policy **so that** someone like you can start investing in the financial market with a relatively small amount. Please find the attached fact sheet to see how our method realizes the dream of "low risk, high return."
Sincerely,
Chris Latimar

テクニック 15 「結果」の付与

John will live.
John は生きるだろう。

➡ John will live **to be** 100.
　John は 100 歳になるまで生きるだろう。

| もとの文はココがイマイチ | ➡ | このワザでこう解決！ |

1　「John は生きるだろう」では、漠然としすぎていて文意が不明。　│　to be 100 を挿入することによって「100 歳になるまで生きるだろう」となり、live の意味内容がはっきりする。

STEP 1 「結果」を付与して文を書き換え、より具体的になったか確認しよう！

1　Ford grew up.
　（Ford は成長した→ to 不定詞を使って「Ford は成長して、故郷の市長になった」に）

2　I woke up.
　（私は目が覚めた→ to 不定詞を使って「私は目が覚めて、自分が駅のベンチで寝ているのに気づいた」に）

3　Two of my best friends went to Vietnam.
　（私の親友が二人ベトナムに行った→ to 不定詞を使って「私の親友が二人ベトナムに行き、二度と帰って来なかった」に）

4　My son was born on January 1st in the year 2000.
　（私の息子は 2000 年の 1 月 1 日に生まれた→ thereby を使って「私の息子は 2000 年の 1 月 1 日に生まれ、よって新しい千年紀における最初の赤ん坊の一人となった」に）

5　My brother yelled at me very loudly from the other side of the street.
　（弟が通りの反対側からとても大きい声で私に向かって叫んだ→ so を使って「弟が通りの反対側からとても大きい声で私に向かって叫んだので、私の近くにいた誰もかもが彼を見た」に）

テクニック⑮ 「結果」の付与

目標 「（ある動作の）結果～となる」と表現できるようになろう！

前項の「目的」同様、動作には当然「結果」が伴うもの。この項ではこちらをカバーします。道具としては、to 不定詞と so が横綱。これに、"thereby（それによって）" などの副詞を押さえておけば鬼に金棒です。

手順はこれだけ！

John will live.

⬇

live（生きる）という行為を具体化するために、「結果」を導く語句によって括られた句や節を補う（典型的には to 不定詞と so that 節）。

⬇

この場合は「生きた結果 100 歳になる→ 100 歳になるまで生きる」とするため to be 100 を追加（他の頻用表現は以下の実例を参照）。

⬇

John will live to be 100.

STEP 1　解答

1　Ford grew up to be the mayor of his hometown.
（Ford は成長して、故郷の市長になった）

2　I woke up to find myself lying on a bench at a station.
（私は目が覚めて、自分が駅のベンチで寝ているのに気づいた）

3　Two of my best friends went to Vietnam, never to return.
（私の親友が二人ベトナムに行き、二度と帰って来なかった）

4　My son was born on January 1st in the year 2000, thereby becoming one of the first babies of the new millennium.
（私の息子は 2000 年の 1 月 1 日に生まれ、よって新しい千年紀における最初の赤ん坊の一人となった）

5　My brother yelled at me very loudly from the other side of the street, so everyone near me looked at him.
（弟が通りの反対側からとても大きい声で私に向かって叫んだので、私の近くにいた誰もかもが彼を見た）

STEP 2 「結果」を使って英作文をしてみよう！

1 Hiro は着実に進歩し、最終的に偉大な画家になった。
　　着実に　steadily　　最終的に　eventually

2 とても寒かったので、持っているものの中で一番温かいコートを私は着た。

3 日本の全国民が非常に一所懸命働いたが、千年紀の変わり目にあたって、自分たちが前例のない不況の中にいるのに気づく結果となった。
　　国民　nation　　千年紀の変わり目　the turning of millennium
　　前例のない　unprecedented

STEP 3 「結果」を使って、さっそくメールを書いてみよう！

父さん
入試、がんばったけど、前回同様落ちるだけだった。信じられないよ。
Drew

Joseph
祖母によれば、ボクの父は鹿狩りをしていて家の近くの森に深く入り込み、二度と戻ってこなかったそうだ。ボクもその森に行ってみたいって誘惑に駆られてるんだけど、一緒に行かない？
Phil

　　woods　森　　be tempted to ～　～したいという誘惑に駆られる

Jonathan
中国、韓国そして日本の間で繰り広げられた日本の歴史教科書に関する論争はとても紛糾しており、ニューヨークタイムスのような西洋のニュースメディアすら大々的な記事を載せました。この問題についてのキミの意見は？
Yoshinori

　　dispute　論争　　heated　紛糾して　　an extensive article　大々的な記事

STEP 2 解答

1. Hiro steadily improved to eventually become a great painter.

2. It was very cold, so I wore the warmest coat that I had.

3. The entire nation of Japan worked extremely hard, only to find themselves in an unprecedented recession at the turning of a new millennium.

STEP 3 解答

Dad,
I tried hard on the entrance exam, **only to fail** like last time. I can't believe it.
Drew

Joseph,
According to my grandmother, my father walked deep into the woods near their house to hunt for deer, **never to come back**. I'm tempted to go into the woods myself. Do you want to come with me?
Phil

Jonathan,
The dispute regarding Japan's history textbooks among China, Korea and Japan was very heated, **so much so that** even the western news media such as The New York Times had an extensive article on it. What's your take on this issue?
Yoshinori

Chapter 7
断定を避けるワザ

テクニック 1 思う・考える

It might rain tomorrow.
明日、雨がふるかもしれない。

➡ **I suspect** it might rain tomorrow.
明日、雨がふるかもしれないと思います。

もとの文はココがイマイチ	➡	このワザでこう解決！
1 「明日、雨がふるかもしれない」と状況を一般的に記述しているにすぎない。		I suspect を挿入することによって、「雨が降るかもしれない」というのはあくまでも個人的な判断であって客観的な事実ではないという、よりやわらかいニュアンスが加わる。

STEP 1 「思う・考える」を使って文を書き換え、ニュアンスの違いを確認しよう！

1 The prime suspect is actually not guilty.
（本当のところ第一容疑者は有罪ではない→ I think を使って書き換え）

2 Communism is not really dead.
（共産主義は本当には死んでいない→ I wonder if を使って書き換え）

3 Dirk won't come with us on our trip to Chicago.
（Dirk は私たちのシカゴ旅行について来ないだろう→ I don't know if を使って書き換え）

4 The so-called anti-terrorist war will last forever.
（いわゆる反テロ戦争は永遠に続くだろう→ I'm afraid を使って書き換え）

5 The Japanese government can't continue issuing such a large number of national loan bonds.
（日本政府はこれほど大量の国債を発行し続けることはできない→ I doubt if を使って書き換え）

テクニック① 思う・考える

> **目標**　「あくまでも自分の意見ですが…」と言えるようになろう！

断定を避けるための基本中の基本がこれ。「〜と私は思う・考える」と付け加えるだけで、「これはあくまでも自分の意見です」という態度を表明できるようになります。ただし、日本人ははっきりと断定すべき場面でもつい"I think"と言ってしまう傾向がありますので、使い分けには十分にご注意を。むしろ、八割方の場面では"I think"を言わない方向で。残りの二割がこの表現の出番です。

手順はこれだけ！

It might rain tomorrow.

⬇

「〜は思う・考える」という主語と動詞の組み合わせを基本的には文頭に挿入する（この場合は「多分〜ではないかと思う」という感じを出すために"I suspect"を選択）。

⬇

I suspect it might rain tomorrow.

STEP 1　解答

1　I think the prime suspect is actually not guilty.
（本当のところ第一容疑者は有罪ではないと私は思う）

2　I wonder if communism is really dead.
（共産主義は本当に死んだのだろうかと思う）

3　I don't know if Dirk will come with us on our trip to Chicago.
（Dirk が私たちのシカゴ旅行について来るか、私には分からない）

4　I'm afraid the so-called anti-terrorist war will last forever.
（残念ながら、いわゆる反テロ戦争は永遠に続くだろうと私は思う）

5　I doubt if the Japanese government can continue issuing such a large number of national loan bonds.
（日本政府がこれほど大量の国債を発行し続けることができるかどうか疑わしいと私は思う）

7　断定を避けるワザ

STEP 2 「思う・考える」を使って英作文をしてみよう！

1 愛は憎悪よりも強いと私は心から信じている。
　　　憎悪　hatred　　　心から信じている　whole-heartedly believe

2 キミがいま学校をやめて働き始めるのがいい考えだとは、私は思わない。
　　　学校をやめる　quit school

3 Lucy が去ってから長い時間が経ったけれど、彼女がまだ私たちのことを覚えていると私は信じたい。
　　　去る　leave　　　まだ　still　　　信じたい　like to believe

STEP 3 「思う・考える」を使って、さっそくメールを書いてみよう！

> Becky
> あなたが決勝まで進むことを願っています。それだけ言いたくて。
> Billie

　　　make it to the final　決勝まで進む

> Charlie
> いわゆる持続可能な発展についての Norton 博士のコメントが、私にはかなりひっかかったの。それは確かに素晴らしい考えではあるけれど、正直言って実行不可能だと思うから。そう思わない？
> Eve

　　　concept　考え、概念

> Kaneda さん
> すぐ前のメールに添付した書類にあなたは既に目を通しておられ、我々は来週にもこの取引をまとめる準備ができるものと考えております。次の会合の日取りを決めるために、電話かメールをお願いします。
> ありがとうございます。
> Robert Brown

　　　document　書類　　attached　添付された　　settle this deal　この取引をまとめる

STEP 2 解答

1 I whole-heartedly believe that love is stronger than hatred.

2 I don't think it's a good idea for you to quit school and start working now.

3 I like to believe that Lucy still remembers us, though it has been a long time since she left.

STEP 3 解答

Becky,
I hope you will make it to the final match. Just wanted to tell you that.
Billie

Charlie,
I was quite bothered by Dr. Norton's comment on so-called sustainable development. Yeah, it's a great concept, but **I honestly think** it is unfeasible. Don't you agree?
Eve

Mr. Kaneda,
I'm assuming that you have already read through the document attached to my last email, and we will be ready to settle this deal as soon as next week. Please call or email me to schedule our next meeting.
Thank you,
Robert Brown

テクニック 2 「～のようだ」

The situation is desperate.
状況は絶望的だ。

➡ The situation **appears** desperate.
状況は絶望的に見える。

もとの文はココがイマイチ	➡	このワザでこう解決！
1 「状況は絶望的だ」と断定している印象を与えてしまう。		is を appears に替えることで、「絶望的に見える」と断定を避けられる。しかも、appears を使うことによって「本当はそうではない」という含みを強く持たせることもできる。

STEP 1 「～のようだ」表現を使って文を書き換え、ニュアンスの違いを確認しよう！

1　Tony is introverted.
（Tony は内向的だ → come off を使って「Tony は内向的な印象を与えるかもしれないが、実際にはそうじゃない」へ）

2　You want to quit your job.
（あなたは仕事を辞めたい → It looks like を使って「あなたは仕事を辞めたいように見えます」へ）

3　The national budget is not big enough to put the economy back on a recovery track.
（国家予算は経済を回復軌道に乗せるには十分な大きさではない → seem を使って「国家予算は経済を回復軌道に乗せるには十分な大きさではないようだ」へ）

4　The governor was quite enthusiastic about promoting volunteer activities in elementary schools.
（その知事は、小学校でボランティア活動を促進することについてかなり熱心だった → sound を使って「その知事は、小学校でボランティア活動を促進することについてかなり熱心であるようだった」へ）

テクニック ② 「〜のようだ」

目標 「〜のようだ」と表現を和らげることができるようになろう！

断定を避けるための簡単かつ即効性のあるテクニックとして、前項の"I think"と共にぜひ活用できるようになっておきたいのが、seem, look, appear, sound などを用いた「〜のようだ」という表現。基本的に、be動詞をこれらの動詞に置き換えるだけ。ただし、appear は「〜に見えるが本当はそうではない」という含みを強く持つことが特に多いので、要注意です。

手順はこれだけ！

The situation is desperate.
⬇
「絶望的だ」という断定を避けたいので、be動詞を「〜のようだ」という含蓄の一般動詞と交換する（この場合は「〜に見える」appear）。
⬇
The situation appears desperate.

STEP 1 解答

1 Tony may come off as introverted, but he is not.
（Tony は内向的な印象を与えるかもしれないが、実際にはそうじゃない）

2 It looks like you want to quit your job.
（あなたは仕事を辞めたいように見えます）

3 The national budget doesn't seem big enough to put the economy back on a recovery track.
（国家予算は経済を回復軌道に乗せるには十分な大きさではないようだ）

4 The governor sounded quite enthusiastic about promoting volunteer activities in elementary schools.
（その知事は、小学校でボランティア活動を促進することについてかなり熱心であるようだった）

5 English is about to conquer the entire planet as the most widely used international language.
 （英語は最も広く使われている国際語として惑星全体を征服しようとしている→ It looks like を使って「英語は最も広く使われている国際語として惑星全体を征服しようとしているように見える」へ）

STEP 2 「～ようだ」表現を使って英作文をしてみよう！

1 日本の地方の共同体は活気が毎年どんどんなくなっているようだ。

　　地方の共同体　rural communities　　活気ある　vigorous

2 戦争のない真に平和な世界を実現することが、我々にはできないようだ。

　　真に平和な世界　a truly peaceful world
　　実現する　realize

3 アルゼンチンで起こっていることからは、国家財政の重荷となっている巨額の公共負債について、彼ら（アルゼンチン国民）にできることは何もないように見受けられる。

　　国家財政　government finance　　重荷となる　burden
　　巨額の　massive　　公共負債　public debt

STEP 3 「～ようだ」表現を使って、さっそくメールを書いてみよう！

Dawn
私、Curtis が気に入ったわ。なかなかの男みたい。
Rayna

　　decent　まずまずの、悪くない

Zee's で今夜ぶらぶらするの、いいね。絶対行くよ。
Akihisa

日本の政治評論家は、西欧諸国で彼らの同業者たちが言ったことを単純に翻訳しているだけのようです。だから私は日本のテレビを見たり日本の新聞を読んだりしないのです。
Ken

　　translate　翻訳する　　counterpart　同業者（ここでは「政治評論家」を指す）

5 It looks like English is about to conquer the entire planet as the most widely used international language.
（英語は最も広く使われている国際語として惑星全体を征服しようとしているように見える）

STEP 2 解答

1 Rural communities of Japan seem less and less vigorous every year.
　（← Rural communities of Japan are becoming less and less vigorous.）

2 It seems that we can't realize a truly peaceful world where there is no war.
　（← We can't realize a truly peaceful world where there is no war.）

3 What's happening in Argentina makes it seem as if there is nothing they can do about the massive public debt that has been burdening government finance.
　（← What's happening in Argentina shows there is nothing they can do about the massive public debt that has been burdening government finance.）

STEP 3 解答

Dawn,
I like Curtis. He **seems** like a decent guy.
Rayna

Hanging out tonight at Zee's **sounds** like a good idea. I'm definitely going!
Akihisa

Japanese political commentators **seem** to be simply translating whatever their counterparts say in western countries. That's why I don't watch Japanese TV or read Japanese newspapers.
Ken

テクニック 3 可能性の副詞

Matt forgot to come to my birthday party.
Matt は私の誕生パーティに来るのを忘れた。

→ **Maybe** Matt forgot to come to my birthday party.
多分、Matt は私の誕生パーティに来るのを忘れた。

もとの文はココがイマイチ	→	このワザでこう解決！

1 「Matt は私の誕生パーティに来るのを忘れた」と断定している。 | maybe を加えることによって、「多分」と断定を避けることができる。

2 以下の実例で使われているさまざまな「可能性の副詞」を駆使することによって、「絶対」から「ひょっとしたら」まで、ニュアンスを自在に変えることができる。

STEP 1 可能性の副詞を適切な場所に挿入して、ニュアンスの違いを確認しよう！

1 Japan will get out of its current economic recession soon.
（日本はまもなく今日の経済不況から脱するでしょう→ possibly を挿入）

2 I will skip that boring history class.
（私はあの退屈な歴史のクラスをサボります→ definitely を挿入）

3 I will deliver your package at the designated time.
（所定の時間にあなたの小包をお届けします→ surely を挿入）

4 It was fate that Japan lost the Second World War.
（日本が第二次世界大戦に負けたのは運命でした→ perhaps を挿入）

5 Racial tension and conflicts between whites and blacks will end in the near future.
（白人と黒人の人種間の緊張と対立は近い将来終わるだろう→ it is highly unlikely を挿入）

テクニック③ 可能性の副詞

> **目標**「絶対」から「ひょっとしたら」まで、自在にニュアンスを出せるようになろう！

　肯定文と否定文の間にあるのは、完全にはどちらとも言えない領域です。例えば、「ある」は肯定文、「ない」は否定文。その間には「きっとある」「おそらくある」「多分ない」などが無数に存在しています。この、「きっと」「おそらく」「多分」などを担うのが、この項でカバーする「可能性の副詞」なのです。

手順はこれだけ！

Matt forgot to come to my birthday party.

⬇

「Mattは忘れた」と断定するのを避けるために、可能性の副詞を挿入する（挿入場所は、文頭、文末、修飾する動詞の前の三つが基本）。

⬇

ここでは「多分」のmaybeを選択。

⬇

Maybe Matt forgot to come to my birthday party.

STEP 1　解答

1　Japan will possibly get out of its current economic recession soon.
　（日本はことによるとまもなく今日の経済不況から脱するでしょう）

2　I will definitely skip that boring history class.
　（私はあの退屈な歴史のクラスを絶対サボります）

3　I will surely deliver your package at the designated time.
　（必ず、所定の時間にあなたの小包をお届けします）

4　Perhaps it was fate that Japan lost the Second World War.
　（ひょっとしたら、日本が第二次世界大戦に負けたのは運命でした）

5　It is highly unlikely that racial tension and conflicts between whites and blacks will end in the near future.
　（まず有り得ない、白人と黒人の人種間の緊張と対立が近い将来終わることは）

STEP 2 可能性の副詞を使って英作文をしてみよう！

1 明日、多分雪が降るだろう。

  多分　more than likely

2 明日の夜、Susan はひょっとしたらお前と一緒にピアノのコンサートに行きたがっているぞ。

  ひょっとしたら　perhaps

3 絶対に、9月11日のテロ攻撃直後の混乱を利用して、誰かが巨額の利益を株式市場で得た。

  絶対に　most definitely　　混乱　confusion
  利用する　take advantage　　巨額の利益　an enormous profit

STEP 3 可能性の副詞を使って、さっそくメールを書いてみよう！

Amy を誘えばいいじゃないの。彼女、おそらくあんたが好きよ。
Linda

おそらく、Donnie はもうすぐあんたを捨てるわよ。私は彼を知ってるから。
Gabby

Goodman さん
迅速なお返事ありがとうございます。ご指定の通り、午前10時に確かに伺います。ついにあなたにお目にかかれるのを楽しみにしております。
Pat Lowell

---

  prompt reply　迅速な返事

テクニック 3　可能性の副詞

STEP 2　解答

1 It will more than likely snow tomorrow.

2 Perhaps Susan wants to go with you to the piano concert tomorrow night.

3 Most definitely, some made an enormous profit in the stock market, taking advantage of the confusion right after the September 11th terrorist attacks.

STEP 3　解答

> Why don't you ask Amy out? She **probably** likes you.
> Linda

> It is **highly likely** that Donnie will dump you soon. I know how he is.
> Gabby

> Mr. Goodman,
> Thank you very much for your prompt reply. I **certainly** will come to visit you at 10 a.m., as you requested. I am looking forward to finally meeting you.
> Sincerely,
> Pat Lowell

テクニック 4 頻度・習慣の副詞

I get off work about 6.
6時ごろに仕事が終わります。

→ I **usually** get off work about 6.
普通、6時ごろに仕事が終わります。

もとの文はココがイマイチ	→	このワザでこう解決！
1 「6時ごろに終わる」と断定している。		usually の挿入によって、「普通は」と断定を避けることができる。

STEP 1 頻度の副詞を適切な場所に挿入して、ニュアンスの違いを確認しよう！

1 I dream of my dead grandfather.
（私は死んだ祖父のことを夢に見る→ every now and then を挿入）

2 Akihiko goes home to Osaka.
（Akihiko は大阪の実家へ帰る→ once a month を挿入）

3 People meet others through a third party.
（人は、第三者を通して他の人に会う→ often を挿入）

4 Our university's baseball team wins.
（私たちの大学の野球チームは勝つ→ more often than not を挿入）

5 Earthquakes hit the islands of Japan, some of which are powerful enough to ruin a modern city like Kobe.
（地震が日本列島を直撃し、中には神戸のような近代都市を破壊するほど大きなものもある→ frequently を挿入）

テクニック④ 頻度・習慣の副詞

目標 「いつも」から「稀に」まで、自在にニュアンスが出せるようになろう！

前項の「可能性の副詞」の兄弟分がこの「頻度・習慣の副詞」。こちらは、肯定の「する」と否定の「しない」の間にある、「いつもする」「ときどきする」「めったにしない」をカバーします。とりわけ否定の際には、「しない」と言い切るよりは「めったにしない」「いつもはしない」などと若干緩和しておいた方がいいことはよくあるもの。ぜひ活用してください！

手順はこれだけ！

I get off work about 6.

⬇

「6時に仕事が終わる」という断定を避けるために、頻度の副詞を挿入する（挿入場所は、修飾する動詞の直前が一般的だが、文頭や文末もありうる）。ここでは「普通は」のusuallyを挿入。

⬇

I usually get off work about 6.

STEP 1 解答

1. I dream of my dead grandfather every now and then.
（ときどき、私は死んだ祖父のことを夢に見る）

2. Akihiko goes home to Osaka once a month.
（Akihikoは大阪の実家に月一度帰る）

3. People often meet others through a third party.
（人は、しばしば第三者を通して他の人に会う）

4. Our university's baseball team wins more often than not.
（私たちの大学の野球チームは、10回中5回以上は勝つ）

5. Earthquakes frequently hit the islands of Japan, some of which are powerful enough to ruin a modern city like Kobe.
（地震はしばしば日本列島を直撃し、中には神戸のような近代都市を破壊するほど大きなものもある）

STEP 2 頻度の副詞を使って英作文をしてみよう！

1 私はキリスト教徒ですが、聖書を定期的には読みません。
    キリスト教徒　a Christian　　聖書　the Bible　　定期的に　regularly

2 Vince はときどき何の理由もなく怒る。
    何の理由もなく　for no reason

3 私の親戚は豪華なパーティについてしばしば語るが、本当のところ、集まりなどめったに持たない。
    親戚　relatives　　（親戚などの）集まり　reunions　　めったに〜ない　rarely

STEP 3 頻度の副詞を使って、さっそくメールを書いてみよう！

Jane
お前はいつも自分が正しいように振る舞うよな。いい加減にしろ！
Frank

Ralph
Donovan に対しては別に何もないんだけどさ、オレはめったにあいつに話しかけないんだ。説明が難しいんだけど、奴の周りにいると敵意を抑えようとしている自分を感じるんだよね。理性的でないのかもしれないけど。お前、どう思う？
Ricky

hostility　敵意

貿易黒字に関して、日本は始終アメリカの重圧のもとにあります。しかしながら、アメリカと違い日本は天然資源に乏しいので、外貨を獲得するために自動車のような高い商品価値の製品を生産し輸出せねばなりません。そうやって日本は経済を推し進めていくのです。それゆえ、日本の貿易黒字は日本的経済システムの当然の副産物であると私は思います。フィードバックをお願いします。
Tetsuo

constantly　始終、絶えず　　trade surplus　貿易黒字
scarce natural resource　乏しい天然資源　　high commercial value　高い商品価値
foreign currency　外貨　　byproduct　副産物

STEP 2 解答

1 I'm a Christian, but I don't regularly read the Bible.

2 Vince sometimes gets mad for no reason.

3 My relatives often talk about grand parties, but the truth is they have reunions very rarely.

STEP 3 解答

Jane,
You **always** act like you are right. I can't stand it!
Frank

Ralph,
I **rarely** speak to Donovan, even though I have nothing against him. It's hard to explain, but I struggle with feelings of hostility when I'm around him. Maybe I'm being unreasonable. What do you think?
Ricky

Japan is **constantly** under American pressure regarding its trade surplus. However, Japan has scarce natural resource, unlike America, so it must produce products with high commercial value such as automobiles, and export them to earn foreign currency. That's how Japan keeps its economy going. Therefore, I think the trade surplus is a natural by-product of Japan's economic system. Please give me your feedback.
Tetsuo

テクニック 5 程度の副詞

The delay is our company's fault.
その遅れは、我が社のせいです。

➡ The delay is **largely** our company's fault.
その遅れは、主として我が社のせいです。

もとの文はココがイマイチ	➡	このワザでこう解決！
1 「我が社のせい」と完全に認めることになる。		largely の挿入によって、「主として」と認めつつも、「完全にそうではない」ことを示唆することができる。

STEP 1 程度の副詞を適切な場所に挿入して、ニュアンスの違いを確認しよう！

1. Dion's success was due to luck.
   （Dion の成功は幸運のせいだ→ in part を挿入）

2. I broke up with Todd because of his bad temper.
   （彼の短気のせいで、私は Todd と別れた→ mainly を挿入）

3. I felt like I may have passed the tryouts for the university basketball team.
   （大学のバスケットチームの入部試験に合格できたかもしれないと感じた→ just slightly を挿入）

4. Russia managed to avoid the complete collapse of its economy and social systems after the Soviet Union's disintegration.
   （ソ連解体の後、ロシアは経済社会システムの完全な崩壊をどうにか免れた→ barely を挿入）

5. The violence-ridden comic books and movies prevalent in Japan are, I think, responsible for the cruel, violent crimes committed by the country's younger generation.
   （この国の若い世代によって犯される残酷で暴力的な犯罪は、日本に普及している暴力にまみれたマンガや映画のせいであると私は思う→ partially を挿入）

テクニック⑤　程度の副詞

目標　「完全に」から「かろうじて」までニュアンスを出せるようになろう！

　副詞の第三弾は、「程度」。例えば、肯定の「彼のせいです」と否定の「彼のせいではありません」の間には、「完全に彼のせいです」や「部分的には彼のせいです」など、さまざまな「程度」が存在します。これをカバーするのが、この項の「程度の副詞」。完全に誰か一人のせいにできるはずのないこの世の中。当然、出番は無数にあります。

手順はこれだけ！

The delay is our company's fault.

↓

「私たちのせいです」と100％認めたくないので、「程度」を表す副詞を挿入する（挿入場所は基本的に被修飾語の直前）。
ここでは「主として」という語感の largely を選択。

↓

The delay is largely our company's fault.

STEP 1　解答

1　Dion's success was in part due to luck.
（Dion の成功は、部分的には幸運のせいだ）

2　I broke up with Todd mainly because of his bad temper.
（主として彼の短気のせいで、私は Todd と別れた）

3　I felt like I may have passed the tryouts for the university basketball team, but only just slightly.
（大学のバスケットチームの入部試験に合格できたかもしれないと感じた。ほんのちょっとだけだが）

4　Russia barely managed to avoid the complete collapse of its economy and social systems after the Soviet Union's disintegration.
（ソ連解体の後、ロシアは経済社会システムの完全な崩壊をかろうじてどうにか免れた）

5　The violence-ridden comic books and movies prevalent in Japan are, I think, partially responsible for the cruel, violent crimes committed by the country's younger generation.
（この国の若い世代によって犯される残酷で暴力的な犯罪は、部分的には、日本に普及している暴力にまみれたマンガや映画のせいであると私は思う）

STEP 2　程度の副詞を使って英作文をしてみよう！

1 今夜の芝居におけるあなたの演技を私は全く堪能しました。
　　演技　performance　　全く　thoroughly　　堪能する　enjoy

2 1945年の8月6日に投下された原子爆弾によって、広島は完全に壊滅させられました。
　　原子爆弾　an atomic bomb　　完全に　completely　　壊滅させる　devastate

3 Benjaminさんの死は、身元不明のテロリストから彼が受け取った封筒の中に入っていた炭そ菌によって、主として引き起こされました。
　　身元不明の者　an unknown person　　炭そ菌　anthrax　　主として　chiefly

STEP 3　程度の副詞を使って、さっそくメールを書いてみよう！

私たちがさっき見た映画、本当にひどかったわね。それを観た私たち全員が、完全に一致してそう思ってるわ。
明日ね。
Kenya

こんにちは
熊本には主として観光に来たのですが、英語教師として働く場所も見付けたいと願っています。もし、あきがありましたら、お知らせください。今後10日間、当地におります。
Michael Weber

　　sightseeing　観光　　job opening　欠員、空き

あなたのコンピュータがあまりよく機能していないことを大変遺憾に思います。しかしながら、あなたにそれを売却した小売業者からは、車に積み込む際、あなたがそのコンピュータを落としたと報告を受けております。もしこれが真実ならば、機能不全は我々の責任ではないことになります。
Sonny Bee

　　vendor　売り手　　malfunction　機能不全

STEP 2 解答

1 I thoroughly enjoyed your performance in the play tonight.

2 Hiroshima was completely devastated by the atomic bomb dropped on August 6, 1945.

3 Mr. Benjamin's death was caused chiefly by the anthrax in the envelope that he received from an unknown terrorist.

STEP 3 解答

The movie that we just saw was **so** bad! All of us who watched it are in total agreement.
See you tomorrow,
Kenya

Hi,
I came to Kumamoto **primarily** for sightseeing, but I'm also hoping to find a place to work as an English teacher. If you have any job openings, please let me know. I will be in town for the next 10 days.
Michael Weber

We are **very** sorry that your computer is not working very well. However, it was reported by the vendor who sold it to you that you dropped it when you were putting it into your car. If that's true, then we are afraid that the malfunction is not our fault.
Sincerely,
Sonny Bee

テクニック6 判断の副詞

This product costs about 3 million yen.
この製品は約三百万円する。

➡ This product **typically** costs about 3 million yen.
通常、この製品は約三百万円する。

もとの文はココがイマイチ	➡	このワザでこう解決！
1 「三百万円だ」と単純に断定している。		→判断の副詞 typically の挿入によって、「通常は（典型的には）」というニュアンスが加わり、「そうでない場合」も許容できるようになる。

STEP 1 判断の副詞を適切な場所に挿入して、ニュアンスの違いを確認しよう！

1 Nathan shows up early.
（Nathan は早く来ます→ normally を挿入）

2 My camera is brand-new.
（私のカメラは新品です→ practically を挿入）

3 Undergraduate classes are not as difficult as those on the graduate level.
（大学の学部の授業は、大学院レベルのものほど難しくありません→ generally を挿入）

4 More public works projects and lower interest rates should boost the economy.
（より多くの公共事業とより低い利子率が経済を向上させるはずです→ theoretically を挿入）

5 It's impossible for a Japanese adult to learn to speak English perfectly.
（日本人の大人が英語を完璧に話せるようになるのは不可能です→ virtually を挿入）

テクニック⑥ 判断の副詞

目標 「判断の副詞」を使って、逃げ道を作れるようになろう！

断定的表現は、自分の逃げ道を塞ぐことにもなります。例文でも、「この製品は約三百万円する」と言い切ってしまうと、そうでないことが分かったときには、もうどうしようもないわけです。そこで判断の副詞 typically を挿入しておけば、「通常は三百万円だ」と若干の保留をし、「そうでない場合もある」ことを許容できるようになるのです。ちょっとズルイかも。

手順はこれだけ！

This product costs about 3 million yen.

↓

「三百万円だ」という単純な断定を避けたいので、「判断」の副詞を挿入する（挿入は基本的に被修飾語の直前）。
ここでは「典型的には（普通は）」という語感の typically を挿入。

↓

This product typically costs about 3 million yen.

STEP 1 解答

1 Nathan normally shows up early.
（Nathan は普通、早く来ます）

2 My camera is practically brand new.
（私のカメラは事実上新品です）

3 Undergraduate classes are generally not as difficult as those at the graduate level.
（大学の学部の授業は、一般的に、大学院レベルのものほど難しくありません）

4 More public works projects and lower interest rates should boost the economy, theoretically.
（より多くの公共事業とより低い利子率が経済を向上させるはずです、理論的には）

5 It's virtually impossible for a Japanese adult to learn to speak English perfectly.
（日本人の大人が英語を完璧に話せるようになるのは実質的に不可能です）

STEP 2 判断の副詞を使って英作文をしてみよう！

1 未成年者の売春は日本では俗に「援助交際」として知られている。
　　未成年者　minors　　売春　prostitution　　俗に　commonly

2 我々の価格は、他店よりも相当に安いです。
　　相当に　considerably

3 理想的には、民主主義は共同体の全てのメンバーにその政治過程に積極的に参加するよう促す。
　　理想的には　ideally　　共同体　community　　政治過程　political process
　　積極的に参加する　actively participate　　促す　encourage

STEP 3 判断の副詞を使って、さっそくメールを書いてみよう！

ゆうべ、パーティがめちゃくちゃになってごめんなさい。基本的に私のせいです。
Sue

Jerry
ボクが言っているのは、基本的に、IT革命には何の実質もないということです。意味もないウェブサイトを誰もがチェックしてるからって、経済が刺激されなんかしないでしょう？
Eric

　　the IT Revolution　IT革命　　stimulate　刺激する

Babinさん
お骨折りに再度感謝いたします。我々の成功は大いにあなたのご助力に依っています。お返しに我々に何かできることがあれば、必ずお知らせください。
Yuri Callies

　　your time and effort　時間と尽力（お骨折り）
　　in return　お返しに

STEP 2 解答

1 The prostitution of minors in Japan is commonly known as "Enjo-Kousai."

2 Our prices are considerably cheaper than other stores.

3 Ideally, democracy encourages all members of society to actively participate in its political process.

STEP 3 解答

I'm sorry that the party got out of hand last night. It was **essentially** my fault.
Sue

Jerry,
What I am saying is, **basically**, the IT Revolution has no substance. Everyone checking out a bunch of meaningless websites doesn't stimulate the economy, does it?
Eric

Dear Mr. Babin,
I would like to thank you again for your time and effort. Our success was, **to a great extent**, due to your assistance. If there is anything we can do in return please be sure to let us know.
Sincerely,
Yuri Callies

テクニック 7 限定

Steven is dependable.
Steven は信頼できる。

→ Steven is dependable, **for all I know**.
　私が知る限り、Steven は信頼できる。

	もとの文はココがイマイチ	→	このワザでこう解決！
1	「Steven は信頼できる」という単なる断定である。		for all I know によって「私の知る限り」という限定が加わり、「私の知らないところまでは推し量りようがないが」という含蓄が生まれる。

STEP 1 限定表現を使って文を書き換え、ニュアンスの違いを確認しよう！

1 America is the largest weapons supplier in the world.
（アメリカは世界一の兵器供給国である→ as far as I know を挿入）

2 Your offer is not only unacceptable but insulting as well.
（あなたの申し出は、受け入れられないばかりか無礼です→ as far as we are concerned を挿入）

3 Zero Effect was quite well-written.
（Zero Effect はかなりよく書けていた→ from my viewpoint as a filmmaker を挿入）

4 Dick hasn't signed up for the school excursion yet.
（Dick は修学旅行に申し込んでいない→ to the best of my knowledge を挿入）

5 Asian people have something intangible in common that could eventually unite them.
（アジア人は目に見えない何かを共有しており、それは最終的に彼らを結束させうる→ my personal opinion is that 〜を挿入）

テクニック 7　限定

目標　「あくまでも限定の中での断定」というニュアンスを出せるようになろう！

断定の文そのものには手をつけずとも、限定を加えることによって「安易な断定」を避けることはできます。例文ならば、「Stevenは信頼できる」という断定部は全くそのままでも、「私が知る限り」と限定すれば、「あくまでも限定の中での断定である」というニュアンスが生じます。こういう緩和の仕方もあるのです。

手順はこれだけ！

Steven is dependable.

⬇

「頼りになる」と100%断定できるだけの根拠がないので「限定」したい（ここでは「私が知る限り」という語感の for all I know を挿入）。

⬇

Steven is dependable, for all I know.

STEP 1　解答

1　As far as I know, America is the largest weapons supplier in the world.
（私の知る限り、アメリカは世界一の兵器供給国である）

2　As far as we are concerned, your offer is not only unacceptable but insulting as well.
（私たちに言わせれば、あなたの申し出は、受け入れられないばかりか無礼です）

3　From my viewpoint as a filmmaker, Zero Effect was quite well-written.
（映画作家としての私の視点からは、Zero Effect はかなりよく書けていた）

4　To the best of my knowledge, Dick hasn't signed up for the school excursion yet.
（私の知る限りでは、Dick は修学旅行に申し込んでいない）

5　My personal opinion is that Asian people have something intangible in common that could eventually unite them.
（私の個人的な意見では、アジア人は目に見えない何かを共有しており、それは最終的に彼らを結束させうる）

STEP 2 限定表現を使って英作文をしてみよう！

1 一般的に言って、犬は猫よりも忠実です。

　　　一般的に言って　generally speaking　　忠実な　loyal

2 私の見るところ、あなたのお母さんはその手術を乗り切り、再び健康になるでしょう。

　　　私の見るところ　as I see it　　（困難を）乗り切る　make it through

3 私が見たものから判断するに、その交通事故は主としてそのトラック運転手のせいです。

　　　〜から判断するに　judging from 〜　　交通事故　a traffic accident
　　　主として　mainly

STEP 3 限定表現を使って、さっそくメールを書いてみよう！

Sarah はなかなかいい子よ、私の知る限り。今のところ私に言えるのはそれだけ。
後でね。
Cathy

　　　for all I know　私の知る限り

Takashi
ボクの意見では、銀行で働くのなんて、売春宿で働くのとおんなじさ。オレがお前なら、面接にすら行かないね。
Gary

　　　in my opinion　私の意見では　　whorehouse　売春宿
　　　a job interview　（求職の）面接

Tommy
あなたが実家に戻りたくないのは分かったわ。でも、家賃の分のお金を節約できるとも見ることができるでしょう？　何だって、いい面と悪い面があるんだから。
Lee

　　　save money　お金を節約する

STEP 2 解答

1 Generally speaking, dogs are more loyal than cats.

2 As I see it, your mother will make it through the surgery and become healthy again.

3 Judging from what I saw, the traffic accident was mainly the truck driver's fault.

STEP 3 解答

Sarah is a decent girl, **for all I know**. That's about all I can tell you now.
Later,
Cathy

Takashi,
In my opinion, working for a bank is like working for a whorehouse. I wouldn't even go to that job interview if I were you.
Gary

Tommy,
I understand that you don't want to move in with your parents. However, **one way to look at it is** that you can save money on rent. Everything has good sides and bad sides, you know?
Lee

テクニック 8 部分否定

Bill's short story wasn't good.
Bill の短編小説はよくなかった。

➡ Bill's short story was**n't very** good.
　Bill の短編小説はあまりよくなかった。

もとの文はココがイマイチ	➡	このワザでこう解決！
1 「よくなかった」と断じている印象を与える。		部分否定 not very を使って「あまりよくなかった」とすることによって、印象が格段にやわらかくなる。

STEP 1 部分否定を使って文を書き換え、ニュアンスの違いを確認しよう！

1　Younger people are not apathetic.
　　（若い人たちはしらけてはいない→「若い人たちがみんなしらけているわけではない」に）

2　Politicians are not rotten.
　　（政治家は腐敗していない→「政治家がみんな腐敗しているわけではない」に）

3　I haven't read the books that you lent me.
　　（あなたが貸してくれた本をまだ読んでいません→「あなたが貸してくれた本を両方はまだ読んでいませんが、一冊は既に読み終わっています」に）

4　The so-called IT recession going on in America now is not the same as the recession Japan has been in since the bubble economy burst.
　　（現在アメリカで起こっているいわゆる IT 不況は、バブル崩壊以降日本が渦中にある不況と同じではない→「現在アメリカで起こっているいわゆる IT 不況は、バブル崩壊以降日本が渦中にある不況と全く同じではない」に）

5　I don't agree with you on the points you made about immigration the other day.
　　（移民について先日あなたが指摘した点について、私はあなたに同意しません→「先日あなたが話していた移民問題について、私はあなたに完全には同意しません」に）

テクニック ⑧ 部分否定

目標 「完全には～でない」と言えるようになろう！

否定は人の感情を害する可能性が高いもの。ですから、安易な否定を避けるための細心の注意が必要になります。例えば、「そうではない」ではなく「必ずしもそうではない」。「よくない」ではなく「あまりよくない」。注意深く断定を避けながら部分的に否定する習慣をつけましょう。相手に対する配慮を内に含むので、この表現は相手に対して厳しい意見を言ったり、反論したりする場合に特に有効です。

手順はこれだけ！

Bill's short story wasn't good.

⬇

「よくない」と断定するのを避けたいので部分否定に訴える（バリエーションはさまざまだが、基本的に not ～ very, not ～ all のような形だと考えてよい。この場合は「あまり～ではない」という語感の not very を選択）。

⬇

Bill's short story wasn't very good.

STEP 1　解答

1　Not all younger people are apathetic.
（若い人たちがみんなしらけているわけではない）

2　Not all politicians are rotten.
（政治家がみんな腐敗しているわけではない）

3　I haven't read both of the books that you lent me, but I have already finished one.
（あなたが貸してくれた本を両方はまだ読んでいませんが、一冊は既に読み終わっています）

4　The so-called IT recession going on in America now is not exactly the same as the recession Japan has been in since the bubble economy burst.
（現在アメリカで起こっているいわゆる IT 不況は、バブル崩壊以降日本が渦中にある不況と全く同じではない）

5　I don't entirely agree with you on the points you made about immigration the other day.
（先日あなたが話していた移民問題について、私はあなたに完全には同意しません）

STEP 2　部分否定を使って英作文をしてみよう！

1　必ずしもタクシーの運転手になりたいというわけではありません。
　　　必ずしも〜というわけではない　　not always 〜

2　クラスの誰もが担任である Sullivan 先生を嫌っていたわけではありません。
　　　誰もが〜というわけではない　　not everybody 〜

3　日本の自衛隊の拡張は、アジアの他の地域を征服しようという野望の表れでは必ずしもありません。
　　　日本の自衛隊　Japan's Self-Defense Forces　　拡張　expansion
　　　アジアの他の地域　the rest of Asia　　野望　ambition
　　　必ずしも〜ない　not necessarily 〜

STEP 3　部分否定を使って、さっそくメールを書いてみよう！

Sean が買ったばかりの六万ドルもする車を見せたけど、そんなにすごくなかったよ。それとも、オレがうらやましがってるだけか？
John

　　envious　うらやましがって

Hoffman 博士
我々の研究はまだ完全には終わっておりません。しかしながら、今までのところ順調に進んでおり、二、三日のうちに完了することでしょう。お知らせしておこうと思いまして。
Ricky

Tanaka さん
お送りくださったサンプル、ありがとうございました。しかしながら残念なことに、どれ一つ、私の望みにぴったり来るものはありませんでした。明日の朝一番に全てご返送します。
敬具
Duke Thompson

　　unfortunately　残念ながら　　first thing tomorrow morning　明日の朝一番に

STEP 2 解答

1 I don't always want to be a cab driver.

2 Not everybody in the class hated Ms. Sullivan, their homeroom teacher.

3 The expansion of Japan's Self-Defense Forces is not necessarily a sign of an ambition to conquer the rest of Asia.

STEP 3 解答

Sean showed me the $60,000 car he just bought, but it did**n't** seem **very** impressive. Or am I just envious?
John

Dr. Hoffman,
Our research has**n't completely** been finished yet. However, it has been going fine so far, and will be completed in a few days. Just wanted to let you know.
Ricky

Mr. Tanaka,
Thank you very much for all of the samples that you sent me. However, **none** of them was **exactly** what I wanted, unfortunately. I will send them all back first thing tomorrow morning.
Sincerely,
Duke Thompson

テクニック9 「漠然」のsome

Could we meet next Friday?
次の金曜に会えますか？

→ Could we meet **sometime** next week?
来週、いつか会えますか？

もとの文はココがイマイチ	→	このワザでこう解決！
1 「次の金曜」と特定しているため、相手には「はい」か「いいえ」しか選択の余地がない。		some を使って「来週、いつか会えますか」と聞けば、相手にとってはぐっと選択の余地が大きくなる。

STEP 1 some を使って文を書き換え、ニュアンスの違いを確認しよう！

1 I have to skip judo class this afternoon because I'm tired.
  （疲れているので、今日の午後の柔道の授業は欠席せざるを得ない→「疲れているので」を「用事ができたので」に変更）

2 Would you mind sending disk copies of the document tomorrow?
  （明日、その書類のディスクコピーを送ってくださいませんか？→「明日」を「今週、いつか」に変更）

3 The Internet won't bring us prosperity.
  （インターネットは私たちに繁栄をもたらさないだろう→「～という者もある」を挿入）

4 We are looking for a kimono for Mayumi's costume.
  （Mayumi の衣装のために、私たちは着物を探している→「着物」を「何か伝統的なもの」に変更）

5 Sorry that nobody has shown interest in your book ideas so far, but Jack might.
  （これまでのところ誰もあなたの本のアイデアに興味を示しておらず残念に思います。しかし、Jack が興味を示すかもしれません→「Jack が興味を示すかもしれません」を「いずれは誰かが興味を示すことでしょう」に変更）

テクニック⑨ 「漠然」の some

目標 some を使って意図的にあいまい化ができるようになろう！

この章の最後を飾るのは、some。「いくつかの」などと訳されるこの単語のなんとも漠然とした雰囲気は、断定を避けるのにぴったりです。somebody, someone, sometime, someday, somewhere などいろいろなバリエーションがありますが、根っこにあるのはこの「漠然とそこにある」。ここさえしっかりとつかんでおけば大丈夫！

手順はこれだけ！

Could we meet next Friday?

⬇

日にちの特定を避けるために、next Friday を sometime next week に変える（基本的にこの方法で対処できる。他の実例は以下を参照）。

⬇

Could we meet sometime next week?

STEP 1 解答

1 Something came up, so I have to skip judo class this afternoon.
（用事ができたので、今日の午後の柔道の授業は欠席せざるを得ない）

2 Would you mind sending disk copies of the document sometime this week?
（今週、いつかその書類のディスクコピーを送ってくださいませんか？）

3 Some say that the Internet won't bring us prosperity.
（インターネットは私たちに繁栄をもたらさないだろうという者もある）

4 We are looking for something traditional for Mayumi's costume.
（Mayumi の衣装のために、私たちは何か伝統的なものを探している）

5 Sorry that nobody has shown interest in your book ideas so far, but someone eventually will.
（これまでのところ誰もあなたの本のアイデアに興味を示しておらず残念に思います。しかし、いずれは誰かが興味を示すことでしょう）

STEP 2 some を使って英作文をしてみよう！

1　私たちは、若いアーティストによるの何か異質な作品を求めています。

2　私は社会学のクラスを早退せねばなりませんでした、用事ができたので。
　　早退する　leave early

3　市場占有率を向上させるために我が社が業界の中小企業を食いつぶしているという者もある。
　　市場占有率　market share
　　業界　the industry　　中小企業　smaller companies

STEP 3 some を使って、さっそくメールを書いてみよう！

Laura
キミの家を買うのに関心があるかもしれない人を知っています。一週間下さい。電話します。
Daryl

Nell
待ち合わせ場所は、ボクにとってはそのバーの近くが理想的なんだけど。決めてくれる？
Lewis

　　the meeting spot　待ち合わせ場所

Slusher さん
あなたが興味を持っておられる「ウェブメイカー 2」キットの完全版の価格は、15,000 ドル付近です。本日の午後、明細化された見積もりを、正確な価格を添えてファックスします。
Cole Jefferson

　　neighborhood　近隣　　an itemized quote　明細化された見積もり
　　the exact figure　正確な数字（価格）

STEP 2 解答

1 We want some different works by young artists.

2 I had to leave early from the sociology class because something came up.

3 Some say that in order to increase our market share, our company has eaten up smaller companies in the industry.

STEP 3 解答

Laura,
I know **someone** who might be interested in buying your house. Give me a week, and I will call you about it.
Daryl

Nell,
As far as the meeting spot, **somewhere** near the bar would be ideal for me. Will you decide?
Lewis

Mr. Slusher,
The price of the Webmaker 2 complete package that you are interested in will be **somewhere** in the neighborhood of $15,000. I will fax you an itemized quote later this afternoon with the exact figure.
Sincerely,
Cole Jefferson

Chapter 8
読み手に配慮するワザ

テクニック 1 you を含む主語にする

I'm interested in the new sci-fi movie coming out this weekend.
今週末に封切りのその新しい SF 映画に興味があります。

→ **You got** me interested in the new sci-fi movie coming out this weekend.
あなたのおかげで、私は今週末に封切りのその新しい SF 映画に興味を持ちました。

もとの文はココがイマイチ	➡	このワザでこう解決！
1 「自分が興味を持っている」ことを表明したにすぎない。		you を含む主語にすることによって、「あなたのおかげ」というニュアンスを出すことができる。

STEP 1 You を含む主語に文を書き換えて、ニュアンスの違いを確認しよう！

1 I will drop the lawsuit.
（私は訴えを取り下げます→「あなたの言葉のせいで、私は訴えを取り下げることにしました」に）

2 I'm into major league baseball.
（私は大リーグにはまっています→「あなたのせいで、私は大リーグにはまっています」に）

3 I won the chess game this time.
（今回は私がチェスに勝ちました→「あなたがどれほどチェスが上手か私は分かっています。今回は勝たせてくれたんですよね」に）

4 We raised enough funds to establish the Memphis Art Promotion Foundation.
（メンフィス芸術振興財団を設立するのに足りる基金を我々は調達しました→「あなたのご支援のおかげで、我々はメンフィス芸術振興財団を設立するのに十分な基金を調達することができました」に）

5 It has become possible to carry out our plan of planting 100,000 trees all over the city of Kumamoto.
（熊本市一帯に 100,000 本の木を植える我々の計画を実行することが可能になりました→「あなたの情熱と尽力が、熊本市一帯に 100,000 本の木を植える我々の計画を実行することを可能にしました」に）

テクニック① youを含む主語にする

> **目標** youを含む主語にして、相手を立てることができるようになろう！

相手を立てるのがコミュニケーションの潤滑油であるのは、日本もアメリカも同じこと。ここでは、そのための術をカバーします。基本はyouを含む主語、すなわち動作主にして「〜はあなたのおかげ」というニュアンスを出すこと。まずはこれだけを頭におき、以下の実例を読み進めてください。

手順はこれだけ！

I'm interested in the new sci-fi movie coming out this weekend.

⬇

youを含む主語に、I（me）を目的語にし、動詞を適宜変更・変形する。

⬇

You got me interested in the new sci-fi movie coming out this weekend.

STEP 1 解答

1 You talked me into dropping the lawsuit.
（あなたの言葉のせいで、私は訴えを取り下げることにしました）

2 You got me into major league baseball.
（あなたのせいで、私は大リーグにはまっています）

3 I know how good you are at chess, so I suspect you let me win this time.
（あなたがどれほどチェスが上手か私は分かっています。今回は勝たせてくれたんですよね）

4 Your support enabled us to raise sufficient funds to establish the Memphis Art Promotion Foundation.
（あなたのご支援のおかげで、我々はメンフィス芸術振興財団を設立するのに十分な基金を調達することができました）

5 Your passion and effort made it possible to carry out our plan of planting 100,000 trees all over the city of Kumamoto.
（あなたの情熱と尽力が、熊本市一帯に100,000本の木を植える我々の計画を実行することを可能にしました）

STEP 2　you を含む主語にして英作文をしてみよう！

1　分かりました、私の家を 45,000 ドルであなたに売りましょう。納得いたしました。

　　納得いたしました　You talked me into it.

2　あなたにお送りいただいたデータによって、私はひょっとしたら台湾でビジネスができないかと興味を持ちました。

　　ひょっとしたらビジネスをする可能性があること　potentially doing business

3　あなたが現在取り組んでおられるバイオテクノロジープロジェクトは、近い将来私たちが人工食料を消費し始めることを可能にし得ます。

　　バイオテクノロジー　biotechnology
　　人工食料　artificial food　　消費する　consume

STEP 3　you を含む主語にして、さっそくメールを書いてみよう！

やれやれ、オレはインターネット中毒になっちまったよ。お前のせいだぜ。
Joey

be addicted　中毒になる　　hooked　引っ掛けられる（引きずり込まれる）

Fenster
オレに主役をやらせてくれてありがとう。お前もやりたかったんだろ？　埋め合わせに何かできることないか？
Kint

the lead role　主役

Crowe さん
経済援助及びその他全てのあなたがして下さったことによって、私たちは Kawabe 川の環境影響評価を完遂することができました。感謝の気持ちを十分に表明することなどできませんが、どうか私たちの感謝の言葉をお受け取りください。ありがとうございました。
敬具
Yuko Hayashi

environmental assessment　環境影響評価　　words of appreciation　感謝の言葉

テクニック 1　you を含む主語にする

STEP 2　解答

1　OK, I will sell you my house for $45,000. You talked me into it.

2　The data you sent got me interested in potentially doing business in Taiwan.

3　The biotechnology project you are currently working on could make it possible for humans to start consuming artificial food in the near future.

STEP 3　解答

Man, I'm addicted to the Internet. **You got me** hooked.
Joey

Fenster,
Thank you for letting me take the lead role. You wanted it also, didn't you? Is there anything I can do to repay you for your kindness?
Kint

Dear Ms. Crowe,
With your financial assistance and other support, **you enabled us** to accomplish the environmental assessment on the Kawabe River. There is no way for us to sufficiently show our gratitude, but please accept our sincere words of appreciation. Thank you very much.
Sincerely,
Yuko Hayashi

テクニック 2　it や there を主語にする

You caused the delay in our meeting schedule.
あなたが我々のミーティングスケジュールの遅れを引き起こした。

→ **There is a delay** in our meeting schedule.
我々のミーティングスケジュールは遅れています。

もとの文はココがイマイチ	このワザでこう解決！
1　you が主語なので、「あなたのせいだ」というトーンになってしまう。	「スケジュールが遅れている」ということを客観的に指摘したに過ぎず、個人攻撃を避けられる。

STEP 1　主語を it もしくは there に切り替え、ニュアンスの違いを確認してみよう！

1　I found some points in your paper not well supported.
（私は見つけました、あなたのレポートには裏づけの足りない点があるのを→ there を主語にして「あなたのレポートには裏づけの足りないと思われる点があります」に）

2　I'm surprised that you don't seem satisfied with our offer.
（我々の申し出にあなた方が満足なさっておられないようで、私は驚いています→ it を主語にして「我々の申し出にあなた方が満足なさっておられないようであるのは驚きです」に）

3　I didn't expect Jim and Jane to get married without getting engaged first.
（Jim と Jane がまず婚約することなく結婚するなんて、私は思っていなかった→ it を主語にして「Jim と Jane がまず婚約することなく結婚したのは、全く意外なことだった」に）

4　The sudden drop of your stock price gave investors a tremendous shock.
（おたくの株価の突然の下落は投資家にものすごい衝撃を与えました→ it を主語にして「おたくの株価の突然の下落は投資家にものすごい衝撃を与えたと言われています」に）

テクニック② it や there を主語にする

目標 it や there を主語にして、角が立たないようにすることができるようになろう！

前項の「相手を立てる」の次は、「角が立たないようにする」。そのためには、今度は you を主語にしないことが肝心。「あなたのせいだ！」ではなくて、「状況は～です」と冷静に分析するワケです。そのための道具が、it や there を主語とした、漠然とした三人称表現。なお、三人称の主語には一般にそのような機能があります。詳しくは次の項で学びましょう。

手順はこれだけ！

You caused the delay in our meeting schedule.

↓

主語 you を取り除きたい。

↓

it もしくは there に主語を切り替え（ここでは there を選択）、あわせて動詞を be 動詞にする。

↓

There is a delay in our meeting schedule.

STEP 1　解答

1　There are some points in your paper that I think are not well supported.
（あなたのレポートには裏づけの足りないと思われる点があります）

2　It is surprising that you don't seem satisfied with our offer.
（我々の申し出にあなた方が満足なさっておられないようであるのは驚きです）

3　It was totally unexpected that Jim and Jane got married without getting engaged first.
（Jim と Jane がまず婚約することなく結婚したのは、全く意外なことだった）

4　It is said that the sudden drop of your stock price gave investors a tremendous shock.
（おたくの株価の突然の下落は投資家にものすごい衝撃を与えたと言われています）

5 I can't predict if Japan will introduce an entirely new taxation system and improve the current situation.
（日本が全く新しい税制を導入して現在の状況を打破するかどうかは、私には予測できません→ it を主語にして「日本が全く新しい税制を導入して現在の状況を改善するかどうかを予測するのはとても困難です」に）

STEP 2 it もしくは there を主語にして英作文をしてみよう！

1 解決されるべき問題がとてもたくさんあります。

  解決する　fix

2 我々のビジネスはそれほど長く持続しないだろうと予測されています。

  持続する　last　　予測する　predict

3 我々のジョイントベンチャープロジェクトにあなた方が突然熱心になられたようであることに混乱しています。

  熱心な　enthusiastic　　混乱させる　confuse

STEP 3 it もしくは there を主語にして、さっそくメールを書いてみよう！

陰口を叩くのは道徳的に正しくないわよ。私が何のことを言っているか、分かるでしょ？
Neve

---

 morally right　道徳的に正しい
 speak ill of a person behind his or her back　陰口を叩く

他に選択肢がなかったのかもしれないけど、世話ができないからって猫を捨てるのは残酷だわ。かなり利己的だと思う。
Terra

---

 abandon a cat　猫を捨てる

あなた方の提案書には、再考願いたい点がいくつかございます。詳細に関しまして、本日午後にお電話差し上げます。
では、よろしく。
Maurice Smith

---

 reconsider　再考する

5 It is very difficult to predict if Japan will introduce an entirely new taxation system and improve the current situation.
（日本が全く新しい税制を導入して現在の状況を改善するかどうかを予測するのはとても困難です）

STEP 2 解答

1 There are so many problems to be fixed.

2 It has been predicted that our business won't last very long.

3 It is confusing that you seem to have suddenly become enthusiastic about our joint-venture project.

STEP 3 解答

It is not morally right to speak ill of a person behind his or her back. I'm sure you know what I'm talking about, don't you?
Neve

You might not have had any options, but **it is cruel** to abandon a cat because you can't take care of it. I think it's rather selfish.
Terra

There are some things in your proposal that we would like you to reconsider. I will call you this afternoon regarding the details.
Thank you,
Maurice Smith

テクニック3 第三者を主語にする

Mr. Ross is the prime suspect.
Ross 氏が第一容疑者です。

➡ All evidence indicates that Mr. Ross is the prime suspect.
全ての証拠が Ross 氏が第一容疑者であることを示しています。

もとの文はココがイマイチ	➡	このワザでこう解決！
1 「Ross 氏が第一容疑者だ」という、根拠なき主張にすぎない。		"All evidence indicates 〜" と第三者を主語に立てることによって、「全ての証拠が示すところでは〜」と客観性を高めることができる。

STEP 1 第三者を主語にして、ニュアンスの違いを確認してみよう！

1 Shawn was nervous.
（Shawn は神経質になっていた→「声の調子が、Shawn がいかに神経質になっているかを示していた」に）

2 There is something basically wrong with the government's economic policy.
（政府の経済政策には基本的に間違っているところがある→「日本経済が長期の下り坂にいまだにあるという事実が、政府の経済政策には基本的に間違っているところがあることを示唆している」に）

3 You are the one who initiated the fight.
（あなたがそのけんかを始めたんです→「目撃者の言葉に従えば、あなたがそのけんかを始めたという結論に達します」に）

4 Do you really want to be involved in our project?
（あなたは本当に我々のプロジェクトに関わりたいのですか？→「あなたがたった今お送りくださったファックスによって、あなたが本当に我々のプロジェクトに関わりたいのか否か疑問に思いました」に）

テクニック③　第三者を主語にする

> **目標** 第三者を主語にして、客観性の高い文を書けるようになろう！

前項「it や there を主語にする」の発展形がこれ。第三者（多くの場合、無生物）を主語に据えることによって、より客観性の高い表現を目指します。基本は「～が示している」の形ですので、このテクニックのマスターには、「示す」のような動詞が欠かせません。特に頻用されるものを以下の実例でカバーしておきますので、しっかり押さえて下さい。

手順はこれだけ！

Mr. Ross is the prime suspect.

⬇

より客観性の高いものを主語に据える（この場合は all evidence）。

⬇

ふさわしい動詞を選択し（この場合は indicate）、主語と組み合わせてもとの文の前に挿入する。

⬇

All evidence indicates that Mr. Ross is the prime suspect.

STEP 1　解答

1　The tone of his voice showed how nervous Shawn was.
（声の調子が、Shawn がいかに神経質になっているかを示していた）

2　The fact that the Japanese economy is still on a long term downhill slide suggests that there is something basically wrong with the government's economic policy.
（日本経済が長期の下り坂にいまだにあるという事実が、政府の経済政策には基本的に間違っているところがあることを示唆している）

3　What the witnesses say leads to the conclusion that you are the one who initiated the fight.
（目撃者の言葉に従えば、あなたがそのけんかを始めたという結論に達します）

4　The fax you just sent made me wonder if you had really wanted to be involved in our project.
（あなたがたった今お送りくださったファックスによって、あなたが本当に我々のプロジェクトに関わりたいのか否か疑問に思いました）

5 Is there a reason why you don't want to come home?
(家に帰りたくない理由があるんですか？→「あなたが一年以上も家に帰っていないという事実によって、私たちは何かがあなたを悩ませているのではないかと訝っています」に)

STEP 2　第三者を主語にして英作文をしてみよう！

1 他のみんなが言っていることが、あなたにその件の責任があることを示しています。

　　その件　the incident　　責任がある　responsible

2 Roth 博士のチームによってなされた実験は、あなたのレポートにはあまり信頼が置けないということを明らかにしました。

　　実験 an experiment　　　あまり信頼が置けない not very reliable
　　明らかにする reveal

3 たった今聞いたニュースによって、貴社が現在直面している危機的状況を乗り切ることができるか否かと不安になりました。

　　直面する　face　　危機的状況　a critical situation　　乗り切る　deal over

STEP 3　第三者を主語にして、さっそくメールを書いてみよう！

今夜 Jack に出くわしたとき、彼の顔はこれまで経験してきた困難を物語っていました。何と言っていいか、わたしは分かりませんでした。
Monica

キミの家が考えられうる限り全ての便利さを備えた近代的な住宅であるという事実から、キミは台所用品をずらりと持っていると私は考えています。大型の肉切りナイフを借りてもいいですか？　大きな鹿肉の塊が送られてきたので。
Mike

　　kitchen utensils 台所用品　　a carving knife 肉切りナイフ

あなたの上司からたった今聞いたことのせいで、この件に関してどなたにご対応すればよいのか困惑しております。スケジュールが許す限り、できるだけ早くお電話くださいませんか？
よろしくお願いします。
Robin Patterson

5 The fact that you haven't come home for over a year makes us wonder if something is bothering you.
(あなたが一年以上も家に帰っていないという事実によって、私たちは何かがあなたを悩ませているのではないかと訝っています)

STEP 2 解答

1 What everyone else says indicates that you are responsible for the incident.

2 The experiment conducted by Dr. Roth's team revealed that your report was not very reliable.

3 The news I just heard made me worried whether your company could deal with the critical situation you are now facing.

STEP 3 解答

Jack's face told of the hardship he has gone through when I ran into him tonight. I didn't know what to say to him.
Monica

The fact that yours is a modern home with every conceivable convenience **leads** me to believe that you keep an array of kitchen utensils. Can I borrow a giant carving knife? Someone just sent me a big chunk of deer meat.
Mike

What I just heard from your boss **made** me confused about who I should deal with concerning this matter. Will you call me as soon as your schedule allows?
Thank you,
Robin Patterson

テクニック 4 時や条件の付与

Write me back.
返事をくれ。

→ Please write me back **when you have the time**.
時間があるときに返事を下さい。

もとの文はココがイマイチ	→	このワザでこう解決！
1 「返事をくれ」だけなので、ぞんざいな印象を与える。		when you have the time と付け加えることによって、「そうする時間があるときに」と相手に対する配慮を示すことができる。

STEP 1 「時」や「条件」を挿入して、ニュアンスの違いを確認してみよう！

1 Come join us.
　（参加しに来て→「よかったら参加しに来て」に）

2 You can come to our house for dinner Sunday evening.
　（日曜の夜、夕食を食べに家に来ていいですよ→「お望みなら、日曜の夜、夕食を食べに家に来ていいですよ」に）

3 Will you call me today?
　（今日電話してくれますか？→「今日、都合のいいときに電話してくれますか？」に）

4 Will you help me with the move on Saturday?
　（土曜日に引越しを手伝ってくれませんか？→「土曜日に、もしあいていれば、引越しを手伝ってくれませんか？」に）

テクニック④ 時や条件の付与

> **目標** 時や条件を付与することによって、相手への配慮ができるようになろう！

　頼み事をする際、日本語でも「もしよろしければ」「お時間がありましたら」などと言いますね？　この背景には、「頼み事をする以上、相手の都合にできるだけ合わせるべき」という道徳観があります。これは英語圏の文化でも同じこと。そこでこの項では、依頼文に「時」や「条件」を付与して相手に配慮することを学びます。

手順はこれだけ！

Write me back.
⬇
when や if に導かれる節などを用いて、時や条件を付与する。
⬇
Write me back when you have the time.
⬇
副詞を付け加えるなどして文の調子を整える（ここでは please）。
⬇
Please write me back when you have the time.

STEP 1　解答

1　Come join us if you like.
　（よかったら参加しに来て）

2　You can come to our house for dinner Sunday evening if you like.
　（お望みなら、日曜の夜、夕食を食べに家に来ていいですよ）

3　Will you call me today at your convenience?
　（今日、都合のいいときに電話してくれますか？）

4　Will you help me with the move on Saturday if you are available?
　（土曜日に、もしあいていれば、引越しを手伝ってくれませんか？）

5 Will you send someone over?
(誰かをよこしてくれませんか？→「誰か今あいている人がいたら、よこしてくれませんか？」に)

STEP 2　「時」や「条件」を使って英作文をしてみよう！

1 もし私たちの展覧会に興味がおありでしたら、Kimura ギャラリーにお越しください。

　　　展覧会　an art exhibition

2 ご面倒でなければ、そのファイルをもう一度送っていただけますか？

　　　ご面倒でなければ　if it's not too much trouble

3 まだお手元にあれば、第三稿同様、第二稿も添付していただけますか？

　　　手元にある　at hand　　第二稿　the second draft

STEP 3　「時」や「条件」を使って、さっそくメールを書いてみよう！

そうする時間があるときに、ボクのレポートを推敲してくれる？
Jack

---

proofread　推敲する

ボクの最新の脚本を添付します。時間があるときに読んでくれませんか？
よろしく。
Joel

一昨日ご説明したフランチャイズの話にまだ関心がおありでしたら、明日の朝までに私の秘書に電話して会合の場所と日取りをお決めくださいませんか？
よろしくお願いします。
Tim Chambers

---

the day before yesterday　一昨日

5 Will you send someone over if there is anybody available right now?
（誰か今あいている人がいたら、よこしてくれませんか？）

STEP 2 解答

1 Come to Kimura Gallery if you are interested in our art exhibition.

2 Will you send me the file again if it's not too much trouble?

3 Will you attach the second draft as well as the third one if it's still on hand?

STEP 3 解答

> Will you proofread my paper **when you have the time**?
> Jack

> I will attach my newest film script. Will you read it **when you have time**?
> Thanks,
> Joel

> Will you call my secretary and set a date and time for a meeting by tomorrow morning **if you are still interested** in the franchise deal I explained to you the day before yesterday?
> Thank you,
> Tim Chambers

テクニック5 部分的合意

We are not in agreement.
私たちは合意していません。

➡ I think **we are in agreement for the most part**.
私たちは大部分合意していると思います。

もとの文はココがイマイチ	➡	このワザでこう解決！
1 「私たちは合意していない」と言い切ってしまっては、プラスの要素が全く見出せない。		for the most part を用いて「大部分は合意している」とすれば、「全く出口の見えない話し合いではない」という印象を与えることができる。

2 同時に、「あくまでも大部分の合意であって、全面的な合意ではない」という留保をつけておくことができる。

STEP 1 「部分的合意」を使って文を書き換え、ニュアンスの違いを確認してみよう！

1 I disagree with you.
　（私はあなたには不賛成です→「私は必ずしもあなたに不賛成というわけではありません」に）

2 Howard is a jerk.
　（Howardは嫌な奴だ→「確かにHowardは表向きはいい奴だけど、中身は嫌な奴だ」に）

3 We are not in agreement.
　（我々は合意していない→「大事な部分に関する限り、我々は合意していると思いますので、残りの仕事は詳細について話し合うことです」に）

4 Not everyone on the planet needs to speak English.
　（地球上の誰も彼もが英語を話す必要はない→「英語が「国際語」として広く使われているのは事実である。しかしながら、だからと言って、地球上の誰も彼もが英語を話す必要があるというわけでは必ずしもない」に）

テクニック⑤　部分的合意

> **目標**　部分的にであれ合意していることを強調できるようになろう！

　人の意見は十人十色。完全な同意など、ナカナカあるものではありません。しかし、だからこそ、合意できる部分に光を当て、「私たちの意見はそれほど違わない」ということをコンスタントに確認し、コミュニケーションの持続を目指す必要が生じます。そのためのテクニックとして、ここでは「部分的合意」をカバーします。「○○については合意できない」ではなく「△△までは合意できる」。コミュニケーションを前に進めるのにとても有効です。

手順はこれだけ！

We are not in agreement.

⬇

否定するのではなく、副詞を活用して（ここでは for the most part）部分的に肯定し、適宜語句を補って文の調子を整える（ここでは I think）。

⬇

I think we are in agreement for the most part.

STEP 1 解答

1　I don't necessarily disagree with you.
　（私は必ずしもあなたに不賛成というわけではありません）

2　Yes, Howard is a nice guy on the surface, but underneath he is a jerk.
　（確かに Howard は表向きはいい奴だけど、中身は嫌な奴だ）

3　I think we are in agreement as far as the essentials, so all that remains is for us to discuss the details.
　（大事な部分に関する限り、我々は合意していると思いますので、残りの仕事は詳細について話し合うことです）

4　It is true that English has become the most widely used international language. However, that doesn't necessarily mean everyone on the planet needs to speak it.
　（英語が「国際語」として広く使われているのは事実である。しかしながら、だからと言って、地球上の誰も彼もが英語を話す必要があるというわけでは必ずしもない）

5 I feel the need to point out some statistical errors in your argument.
（あなたの議論におけるいくつかの統計上の誤りを指摘する必要を私は感じています
→「言いたいことは分かりました。しかしながら、それでも私は、あなたの議論におけるいくつかの統計上の誤りを指摘する必要があると感じています」に）

STEP 2 「部分的合意」を使って英作文をしてみよう！

1 我々は合意に近づいていると思います。

　　近づいている　be coming closer

2 先週いただいた提案書は大部分受諾できるものでした。

　　提案書　a proposal　　受諾できる　acceptable

3 私（の言葉）がやや攻撃的に聞こえたかもしれないことは認めます。しかし、その取引をまとめようと、私が必死だったことをご理解ください。

　　攻撃的な　aggressive　　死に物狂いの、必死の　desperate

STEP 3 「部分的合意」を使って、さっそくメールを書いてみよう！

Karen がかわいいってことは認めるよ。オレはただ、彼女がそんなに賢くないって言ってるのさ。それだけ。
Francis

我々の見解は見かけほど異なっていないと私は思います。今週、後でまたお会いできませんか？
敬具
Jeff Baldwin

他社からのオファーは一見より魅力的に映るかもしれません。しかし、関わる全ての要素を考慮すれば、我が社のものが最高です。お望みなら、喜んでご説明申し上げます。
よろしくお願いします。
Heikichi Takenaka

---

　　at a glance　一見　　take into consideration　考慮する　　gladly　喜んで

テクニック 5　部分的合意

5　I see your point. However, I still feel the need to point out some statistical errors in your argument.
（言いたいことは分かりました。しかしながら、それでも私は、あなたの議論におけるいくつかの統計上の誤りを指摘する必要があると感じています）

STEP 2　解答

1　I think we are coming closer to an agreement.

2　The proposal you gave us last week is mostly acceptable.

3　I admit that I might have sounded a little too aggressive. But please understand that I was desperate to settle the deal.

STEP 3　解答

Karen is a cute girl, **I agree**. I'm just saying that she isn't too bright. That's all.
Francis

I don't think our views are as different as they seem. Could we meet again later this week?
Sincerely,
Jeff Baldwin

The offers from other companies **may seem more attractive at a glance**, but ours is the best if you take all elements involved into consideration. I will gladly explain it to you if you like.
Thank you,
Heikichi Takenaka

8　読み手に配慮するワザ

365

テクニック 6 仮定法

Sorry, but I can't help you with the move.
申し訳ないけれど、引越しを手伝うことはできません。

→ **I wish I could** help you with the move.
引越しを手伝えたらいいのですが。

	もとの文はココがイマイチ	→	このワザでこう解決！
1	「引越しを手伝えない」という状況を率直に伝えているに過ぎない。		仮定法を使い、「手伝えたらいいのだが」と遺憾の念を表明することができる。
2	直接「手伝えない」と言っているので、やや冷たい感じがする。		「手伝えたらいいのだが」と、言外に「手伝えないこと」を暗示しているので、その分、角が立ちにくい。

STEP 1 仮定法を用いて文を書き換え、ニュアンスの違いを確認してみよう！

1 I don't have the time to assist you with the research.
（あなたのリサーチを手伝う時間がありません→「あなたのリサーチを手伝う時間があったらいいのですが」に）

2 I don't know any company that has a job opening.
（欠員のある会社を一つも知りません→「欠員のある会社を知っていたらいいのですが」に）

3 I didn't ask anyone because you didn't tell me sooner.
（あなたがもっと早く言ってくれなかったので、誰にも頼んでいません→「もう少し早く言ってくれていれば、誰かに頼むことができたかもしれないのですが」に）

テクニック ⑥ 仮定法

目標 仮定法を使って、遺憾の念を表明できるようになろう！

ついに、英文法の難関の一つ、仮定法の登場です。ここでは文法的な話には深入りせず、実用面に焦点を当てましょう。仮定法とはつまり「反実仮想」。「現実と反対のことを仮想すること」です。「手伝えない」という現実に対して、「手伝えたらいいのだが」という仮想。重要なのは、「手伝えない」という最も言いにくい（言いたくない）ことを、仮定法にすれば言わなくて済むようになるということ。言いたくないことをできるだけ言わないようにするのは、太平洋のあちら側でもこちら側でも同じなのです。これが、遺憾の念を伝えるときに仮定法を多用する根本的な理由です。

手順はこれだけ！

Sorry, but I can't help you with the move.

⬇

事実（現実）と肯定・否定をひっくり返す（この場合なら、can't help を can help に）。
I can help you with the move.

⬇

時制を一つ前にしつつ（現在なら過去、過去なら過去完了）、仮定法であることを示す語句を適宜補う（この場合は I wish）。

⬇

I wish I could help you with the move.

STEP 1 解答

1 I wish I had the time to assist you with the research.
（あなたのリサーチを手伝う時間があったらいいのですが）

2 I wish I knew some company that has a job opening.
（欠員のある会社を知っていたらいいのですが）

3 I could have asked someone if you had told me a little sooner.
（もう少し早く言ってくれていれば、誰かに頼むことができたかもしれないのですが）

4 I couldn't pencil that meeting onto my schedule since my brother's wedding was that week.
（弟の結婚式がその週だったので、そのミーティングをスケジュールに入れることができませんでした→「弟の結婚式がその週でなければ、そのミーティングをスケジュールに入れることができたのですが」に）

5 I can't help you out because it's this coming Saturday.
（今週の土曜日なので、あなたを手伝うことができません→「今週の土曜日でさえなければ、喜んでお助けするのですが」に）

STEP 2　仮定法を用いて英作文をしてみよう！

1　当日そのミーティングに出席できるよう、この町にいる予定ならばよかったのですが。

　　　当日　on that day　　この町にいる　be in town

2　その件についてあなたをお助けできる者を知っていればよいのですが。

　　　その件　that matter

3　息子の誕生パーティがその日曜でなければ、キミが車庫を修理するのを手伝えるのですが。

　　　車庫　a garage　　修理する　fix

STEP 3　仮定法を用いて、さっそくメールを書いてみよう！

タイミングが悪かった。その日、あいてればよかったんだけど。本当にそう思うんだけど、あいてないんだ。ごめん。
Andy

　　available　（体が）あいている

お金を持ってさえいれば、必要なだけお前にあげるんだけど。貧困は最低だよ、ほんと。
David

　　poverty　貧困

4 I could have penciled that meeting onto my schedule if my brother's wedding hadn't been that week.
（弟の結婚式がその週でなければ、そのミーティングをスケジュールに入れることができたのですが）

5 I would be willing to help you out if only it wasn't this coming Saturday.
（今週の土曜日でさえなければ、喜んでお助けするのですが）

STEP 2　解答

1 I wish I was going to be in town so I could attend the meeting on that day.

2 I wish I knew someone who might be able to assist you in that matter.

3 I could help you fix your garage if my son's birthday party wasn't on that Sunday.

STEP 3　解答

> Bad timing. **I wish I were** available on that day. I really do, but I'm not. Sorry.
> Andy

> **I would give** you as much money as you need, **if only I had** it. Poverty sucks, I know.
> David

あなたが会社を閉められると聞き、我々はとても残念に思っています。状況をもう少し早く把握していれば、お助けするために何かできたかもしれません。ともかく、現時点で我々ができることがあれば、何でもおっしゃってください。
敬具
Kirk Johnson

go out of business　倒産する、商売が立ち行かなくなる　　regardless　ともかく

> We are so sorry to hear that you are going out of business. **We might have been able** to do something to assist you **if we had known** about the situation sooner. Regardless, if there is anything we can do at this point, please let us know.
> Sincerely,
> Kirk Johnson

テクニック7 could と would

Your test scores are bad.
あなたの試験の点数は悪いです。

➡ Your test scores **could** be better.
あなたの試験の点数は良くなりえます。

もとの文はココがイマイチ	➡	このワザでこう解決！
1 「あなたの点数は悪い」と言い切っては、相手の心証を害するのは確実。		could を用いて「良くなりえます」とすれば、辛辣さが格段に和らぐ。

2 依頼の際 could や would を使えば（STEP 1 の 3, 5 など参照）、「ご依頼はあくまでも『もしできることなら』という仮定の話で、確実に聞いていただけるものとは考えておりません」というへりくだった態度を表明できる。

STEP 1　could や would を使って文を書き換え、ニュアンスの違いを確認してみよう！

1 The situation is bad.
（状況はひどいです→「状況はもっと悪くなり得るところです」へ）

2 Please come and see me tomorrow.
（どうぞ会いに来てください→「明日当方においで願えますか」へ）

3 Bring some samples next time.
（次回、いくつかサンプルを持ってきてください→「次回、いくつかサンプルを持ってきていただいてもいいですか？」へ）

4 Your punches are not precise.
（あなたのパンチは正確ではありません→「あなたの空手の技術は全体的には向上していますが、パンチはもう少し正確になり得ます」へ）

5 Call me as soon as you receive this email.
（このメールを受け取り次第、電話をください→「このメールを受け取り次第、電話をくださいますか？」へ）

テクニック 7　could と would

目標　could や would を使って読み手に対する配慮を示すことができるようになろう！

前項の「仮定法」の応用編です。「could と would は丁寧な表現に使われる」と学校で習いますが、その理由はこれらの助動詞の用法が仮定法から来ていることにあります。なぜでしょうか？　それは、仮定法という文法規則が「今ここでさせていただいているのは、現実としてはまだ断定できない、あくまでも仮定の話です」という慎重な態度に結びつくからなんですね。ほら、もう大丈夫。

手順はこれだけ！

Your test scores are bad.

⬇

表現を和らげるために、「悪い」から「よくなり得る」と発想する（「なり得る」→ could の出番）。

⬇

Your test scores could be better.

STEP 1　解答

1　The situation could be worse.
（状況はもっと悪くなり得るところです［がこれくらいで済んでいます］）

2　Could you come and see me tomorrow?
（明日当方においで願えますか）

3　Would you mind bringing some samples next time?
（次回、いくつかサンプルを持ってきていただいてもいいですか？）

4　Your karate skill has improved overall, but your punches could be more precise.
（あなたの空手の技術は全体的には向上していますが、パンチはもう少し正確になり得ます）

5　Would you please call me as soon as you receive this email?
（このメールを受け取り次第、電話をくださいますか？）

STEP 2 could や would を使って英作文をしてみよう！

1 もっと情報が欲しいと求めたらよいのでは？

2 我々の合併を進めることについて、貴社の誰がいまだに躊躇しているかお教えいただいてもよろしいですか？
　　合併　merger　　躊躇して　hesitant

3 あなたの授業に備えて教科書以外に読むのに推薦なさる図書の名前をいくつか挙げていただけますか？
　　教科書以外に（追加的に）読むこと　additional reading
　　推薦する　recommend

STEP 3 could や would を使って、さっそくメールを書いてみよう！

> その事故で殺されなかったことに感謝すべきだよ。状況はもっとずっとひどくなり得たんだから。
> Adam

> お願いがあるんだけど。来週末、妹の一人が飛行機でこっちに来るんで、空港で拾わなきゃならないんだ。お前の車、借してもらえないかな？
> よろしく。
> Randy

　　Would you do me a favor?　「頼み事があるのですが、聞いていただけますか」という、依頼の際の決まり文句　　fly in　飛行機で来る

> 東京で飛行機が墜落し、テロの可能性があるとたった今知らされました。確認し、直ちにご返信願えますか？
> よろしくお願いします。
> Barry Stratford

　　an airplane crash　飛行機の墜落　　confirm　確認する

テクニック 7 could と would

STEP 2 解答

1 You could ask for more information.

2 Would you mind telling me who in your company is still hesitant to move forward with our merger?

3 Could you give me some names of the books that you recommend for additional reading for your class?

STEP 3 解答

> You should be grateful that you weren't killed in the accident. It **could've been far worse**.
> Adam

> **Would you do me a favor**? One of my sisters is flying in to town next weekend, so I will have to pick her up at the airport. Could I borrow your car?
> Thanks,
> Randy

> I was just informed that there was an airplane crash in Tokyo that could have been a terrorist attack. **Could you confirm** it and email me back immediately?
> Thank you,
> Barry Stratford

テクニック 8 要求から依頼への言い換え

I want you to come to my housewarming party.
あなたに私の引っ越し祝いに来て欲しい。

→ **I'm wondering if** you could come to my housewarming party.
あなたに私の引っ越し祝いに来ていただけないかと思っているのですが。

もとの文はココがイマイチ	→	このワザでこう解決！
1 「来て欲しい」では「要求」となってしまい、場合によっては反発がありえる。		I'm wondering を使って「来ていただけないかと思っているのですが」とすれば、相手の都合にも配慮した依頼文となる。

STEP 1 「要求」から「依頼」へと文を書き換え、ニュアンスの違いを確認してみよう！

1 We want you to come join us.
（私たちはあなたに参加しに来て欲しいです→「あなたが参加しに来てくれれば、誰もが喜ぶでしょう」へ）

2 We want to have you in our wedding.
（私たちの結婚式に、あなたも来て欲しいです→「私たちの結婚式にあなたが来て下されば素晴らしいです」へ）

3 We want you to give us two more days to finalize our decision.
（最終決定のためにあと二日いただきたいです→「最終決定のためにあと二日いただければ、我々としてはありがたいです」へ）

テクニック⑧　要求から依頼への言い換え

> **目標**　「要求」を「依頼」へと和らげることができるようになろう！

　本書もいよいよこれでおしまいです。そこでこの項では、皆さんのこれからの独習のポイントになりそうなことを、一つ指摘します。それは、パラフレーズ（言い換え）の必要性です。例えばここでカバーしている「要求」。たとえ本当は要求したい場合でも、よほどのことがない限りは「～することを求める！」と高圧的な態度に出るべきではありませんよね？　そこで、要求したいことを「依頼」という形に直して相手に伝えるわけです。そうすれば、相手としても受け入れやすくなります。このような例は、「要求」以外にも無数にあるはずです。それらを的確にパラフレーズできるようになったときが、本書を卒業するときではないでしょうか？

手順はこれだけ！

I want you to come to my housewarming party.

⬇

I want という要求から、依頼文へと変更する。

⬇

「～であればありがたい」「～していただけたらと願っている」「～となれば一同喜ぶだろう」などと、断定を避けるのが最も大きなポイント（この場合は I'm wondering を活用）。

⬇

I'm wondering if you could come to my housewarming party.

STEP 1　解答

1　Everyone would be happy if you could come join us.
　（あなたが参加しに来てくれれば、誰もが喜ぶでしょう）

2　It would be nice to have you in our wedding.
　（私たちの結婚式にあなたが来て下されば素晴らしいです）

3　We would all be thankful if you could give us two more days to finalize our decision.
　（最終決定のためにあと二日いただければ、我々としてはありがたいです）

4 We want you to give us more details about the acquisition deal you mentioned last week.
(あなたが先週話しておられた企業買収取引について詳細を更にお教えいただきたいです→「あなたが先週話しておられた企業買収取引について詳細を更にお教えいただければ幸いです」へ)

5 I want you to quickly review the material attached to this email.
(このメールに添付された資料を一覧していただきたいです→「このメールに添付された資料を一覧していただくことは可能でしょうか？」へ)

STEP 2　「依頼」を使って英作文をしてみよう！

1　ミーティングの開始時間を2時間遅らせていただければ、私にとっては理想的です。

　　理想的な　ideal

2　その会議のゲストスピーカーになるためにお時間を作っていただければありがたく存じます。

　　会議　a conference　　時間を作る　make time
　　ありがたく存じます　we'd be grateful

3　私の娘の誕生パーティのために、この金曜日のスケジュールがあいておられないかと願っているのですが。

　　スケジュール（体）があいている　available　　願っている　I'm hoping

STEP 3　「依頼」を使って、さっそくメールを書いてみよう！

Vicki

スケジュール通り、Franky'sで会うってことを知らせておきたくて。私たち全員が、あなたに会えるのを楽しみにしています。

Ronald

　　as scheduled　スケジュール通りに

Yuri

ちょっとしたビデオを撮るので、キミの携帯用照明セットを貸してもらえればすごく助かるんだけど。今夜、後から電話します。

よろしく。

John

テクニック 8　要求から依頼への言い換え

4　We would appreciate it if you could give us more details about the acquisition deal you mentioned last week.
（あなたが先週話しておられた企業買収取引について詳細を更にお教えいただければ幸いです）

5　Would it be possible for you to quickly review the material attached to this email?
（このメールに添付された資料を一覧していただくことは可能でしょうか？）

STEP 2　解答

1　It would be ideal for me if you could make the starting time of the meeting two hours later.

2　We'd be grateful if you could make time to be our guest speaker at the conference.

3　I'm hoping that you might be available this coming Friday for my daughter's birthday party.

STEP 3　解答

Vicki,
Just wanted to let you know that we are going to meet at Franky's as scheduled. **We all hope to** see you there.
Ronald

Hi Yuri,
We are going to shoot a little video project, and **it would be a great help if you could** let us borrow your portable light kit. I will call you later tonight.
Thanks,
John

De Niro さん

こんなことを頼むのは恥ずかしいのですが、そうせざるを得ません。我々が現在直面している困難についてあなたの上司に説明し、我々の支払いをもう一週間待っていただくようにお願いしていただく何らかの道はないものでしょうか？　延滞金として、全額の3％を喜んで上乗せいたします。お返事をお待ちしております。

敬具

Julia Mann

 be embarrassed　恥ずかしい、困惑している　　a late fee　延滞金

テクニック⑧　要求から依頼への言い換え

Mr. De Niro,
I am embarrassed to ask you this, but I have to. **Is there any way** for you to explain to your boss about the difficulties we are presently facing and ask him to wait another week for our payment? We would willingly add 3% of the total amount as a late fee. I hope to hear from you soon.
Sincerely,
Julia Mann

おわりに

　渡米して何年も経ち、日常的に英語を使うようになった今でも、ときどきふと「英語が上達したな」と実感する瞬間があります。ところがその大半は、革命的なことでもなんでもありません。コンマの打ち方が前より自然になったとか、くどい言い回しを避けることができるようになったとか、取るに足らないと言ってもいいような、実にちょっとしたことばかりなのです。ベレ出版から「英語で書く技術」というテーマをご提案いただいたときに、まず頭に浮かんだのがこの経験的実感でした。

　本書でご紹介した8つのワザ・83のテクニックの大半は、上記のような「ちょっとしたこと」。知ってしまえば驚くに値しないものばかりです。分量も、たった一冊の本に収まる程度に過ぎません。しかし、プライベートからビジネスまで、恥ずかしくない英文を書くための出発点としては質量ともに必要十分であると自負しています。

　冒頭、「『英語で書く技術』の究極は、『日本語で書くように英語で書く技術』だ」と説きました。言うまでもなく、皆さんの日本語が今の水準にあるのは、子供の頃からの日本語教育と、日々の日本語体験の積み重ねによるものです。長年かけて培われてきたものです。英作文の上達も全く同じこと。日常的に、たとえ少量でも、英文を書いてください。書き続けてください。インターネットの時代は、それを誰にとっても可能にしたのです。大いに利用してください。そして、異なる文化や社会の中で育った方と、一人でも多く、少しでも深く、コミュニケーションをしてください。それこそが、急速に狭くなっている地球上で私たちが共存していくための、地道ながら最も効果的な、そしておそらく唯一の手段であると信じています。

　最後になりましたが、この本を書く機会を与えてくださったベレ出版の皆さん、そして忙しい日程の合間を縫って英文の校閲をして下さったReno Tibkeさんと John Spiri さんにこの場をお借りして心から御礼申し上げます。ありがとうございました。

　　　　　　　　　　　　　　　　　　　　　　　　　　　　　　　　　黒川裕一

●著者略歴

黒川裕一（くろかわ　ゆういち）
1972年生まれ。熊本市出身。東京大学法学部卒業後、22歳で渡米。テネシー州立メンフィス大学大学院にて助手を務めつつ、映画制作に従事。1997年、同大学より修士号を取得（コミュニケーション学‐映画専攻）。1999年、キャスト・クルーとも全てアメリカ人からなる長編映画「intersections」を制作・監督し、翌年の Austin Film Festival 長編映画部門に入選。2003年、「30秒 犠牲者3」がサンダンス・NHK国際映像作家賞の最優秀作品賞候補にノミネート。2005年4月1日、地域密着型映画づくりプロジェクト「映画革命HINAMI」を開始。2007年、「生きる力」を育む私塾「ひなみ塾」を設立。2010年、大予算映画の対極に位置する、あらゆる要素を最小限に抑えたミニマル映画の可能性を追求する「プロジェクトMINIMA」を立ち上げ、HINAMIとあわせて毎年2本の長編映画を撮り続けている。映画および語学関連の著作多数（約20点）。

HINAMI	http://www.hinami.org/
ひなみ塾	http://www.hinami.org/juku.html
ブログ	http://ei-kaku.dreamlog.jp/

増補全面改訂　こなれた英文を書く技術

2012年 7月25日　初版発行
2012年 9月 3日　第2刷発行

著者	黒川裕一（くろかわゆういち）
カバーデザイン	竹内雄二

© Yuichi Kurokawa 2012, Printed in Japan

発行者	内田眞吾
発行・発売	ベレ出版 〒162-0832 東京都新宿区岩戸町12レベッカビル TEL　03-5225-4790 FAX　03-5225-4795 ホームページ　http://www.beret.co.jp/ 振替 00180-7-104058
印刷	三松堂株式会社
製本	根本製本株式会社

落丁本・乱丁本は小社編集部あてにお送りください。送料小社負担にてお取り替えします。
本書の無断複写は著作権法上での例外を除き禁じられています。
購入者以外の第三者による本書のいかなる電子複製も一切認められておりません。

ISBN978-4-86064-326-3 C2082　　　　　　　　編集担当　綿引ゆか

本書の著者から直接英語を学べる

ひなみ塾英語クラス

ジュニアクラス（中高生対象）

「英語ジュニアA」

読む（文法・読解）、聞く（リスニング）、話す（発音）をまとめて一気に身につけたい人は、こちら。1講座あたり映画の一場面のみに絞り込んで徹底学習する、総合講座です。

① **テキスト** … 映画監督でもある塾長が厳選した映画の中の生の会話がテキスト。取り組みやすくてやる気が引き出されるのみならず、生の英文に触れ続ければ、入試レベルの英語がとても簡単に感じられるようになります。

② **メソッド** … 効果的な方法で学べば、誰でも、いつ始めても、必ず伸びます。塾長が開発したマーキング法を使えば英文法を、12の早口言葉を用いた習得法を使えば発音を、いずれも3ヶ月でマスターすることができます。これらはいずれも本になり、日本全国に向けて出版されています。

③ **ツール** …… ホワイトボードを使用し、チームになってテキストの全訳に取り組みます。その場で塾長が添削し、塾生は「直訳」から文の真意をくみ取った「超訳」になるまで何度でも書き直します。これにより、読解力に加えて、できる人から直接学ばねば絶対に習得できない英語センスをもぐんぐん身につけることが可能になっています。

「英語ジュニアB」

「書く」（英作文）に一点集中したい人は、こちら。「通じる英語の土台、そして劇的な伸びのカギは文法にあり」というのが塾長の結論。そこで、中高生が最も苦手とする英作文に焦点を絞り込み、書くことを通して文法力を徹底強化します。

① **テキスト** … 塾長考案の5段階文法理論に基づいて、英文法を必須48項目に整理し、1講座で1項目ずつ、丁寧に解説します。説明の後は、直ちにレベル別の練習問題に取り組み、「分かる」を「できる」にまで高めます。

② **メソッド** … 演習は全て、中学1年生から上級者までのあらゆるレベルに対応できるよう、多レベルの問題を段階的に配置してあります。問題を解いたら、その場で塾長とアドバイザーが個別に添削。自分のペースで進められ、どこでつまづいているかがすぐに分かり、重点を置きたい個所にたっぷりと時間を費やすこともできるので、ポイントが着実に身につきます。

③ **ツール** …… 学習の仕上げに、ホワイトボードを利用してチームで英作文を行い、成果確認と応用力アップを図ります。文意を的確に伝えられる英文をチーム全員で語彙と文法の両面から考え抜き、しかも塾長が直ちに添削するため、英語センスが自然と身につきます。

大人クラス（大学生以上対象）

「映画で学ぶ英語」

「英語ジュニアA」と同一のコンテンツで、インプット重視の総合講座です。
映画をテキストに学ぶため、英語に苦手意識のある方でも取り組みやすく、忙しい日々の中でもモチベーションを保ちやすいのが特長です。また、やることもやり方も明確なため、主婦、大学生、会社員など年齢性別職業を問わず、必ず成果が出ます。

「英語の学校 (intensive class)」

「Intensive class」とは、英語力を「集中強化する」クラスのこと。「英語ジュニアB」のコンテンツに加えて速読とディベートも行う、超高密度のハイレベルクラスです。
どんな英文も「語数÷3」秒で読める速読力と、どんな議論にも日本語なみに対応できるディベート力を習得でき、表面的な「会話」を超えた深い「対話」が出来るようになります。

◆上記4クラスは、全て毎週1回の定期講座です。体験受講などについては、HPをご覧ください。
ひなみ塾のホームページ　http://www.hinami.org/juku.html